보이지 않는 목소리

보이지 않는 목소리

발　행 | 2024년 1월 3일
저　자 | 지나
펴낸이 | 한건희
펴낸곳 | 주식회사 부크크
출판사등록 | 2014.07.15.(제2014-16호)
주　소 | 서울특별시 금천구 가산디지털1로 119 SK트윈타워 A동 305호
전　화 | 1670-8316
이메일 | info@bookk.co.kr

ISBN | 979-11-410-6395-5

www.bookk.co.kr

보이지 않는 목소리

지나 지음

차 례

제1화 보이지 않는 목소리

내레이션 내가 도착한 세글라 산 북쪽 헤스텐 코스는
세글라 산의 인상적인 모습을 카메라에 담기
좋은 곳이다.

병풍 같은 절벽이 바닷바람을 맞으며 자태를 뽐낸다.
까마득한 낭떠러지 아래에는 쪽빛 바다가
세글라 산을 떠받치고 있고,
해수면에 반사된 햇빛이 밤하늘의 별처럼 반짝인다.
고동색과 회백색, 녹색 등이 섞인 바위산은
인간의 손길이 닿지 않은 천연 요새와 같고,
풍경은 고요한 동시에 적막하다.
세글라 산의 봉우리는 척추와 같은 산등성이가
급격히 상승하며 솟구쳐 있고, 삼각돛처럼 솟은 봉우리를
지나면, 거대한 뱃전과 같은 등줄기가 이어진다.
산자락 아래에는 호수를 품고 있는 세글라 산은
금방이라도 망망대해로 항해를 나아갈 것처럼
위풍당당하다.

KBS 다큐멘터리 <걸어서 세계 속으로> 대본 中

J는 초록색 망망대해 검색창에 '직업의 종류'를 위풍당당하게 쳤다. 검색 결과 2만여 개의 직업이 있다 나오는데, 그중 J가 가질 수 있는 직업 하나 없을까. J는 어릴 적부터 꿈이었던 '작가'에 대한 일말의 미련조차 정리하고, 제2의 인생을 차분히 준비하여 새로 시작하고 싶었다. 조건은 간단했다. 전문직이되, 기술 습득을 위한 시간과 비용이 너무 길거나 부담스럽지 않은 직업. 거기에 이제는 실수투성이 어린 시절은 자체적으로 끝내고, 사회적 책임을 져야 할 나이의 시작이라는 생각이 드니, 이 사회에 조금이라도 기여할 수 있는 부분이 있으면 좋겠다는 생각. 이러한 조건들은 마치 J가 처음 독립할 때, 홍대 근처에서 보증금 500에 월세 30이 넘지 않고, 반지하가 아니며, 주방과 방이 분리되어있는 집을 구할 때와 비슷한 느낌이 들었다. 그리고 발품을 팔아 끝끝내 그런 집을 구했던 J에게 '화면해설 방송작가'라는 단어가 눈에 들어왔다.

시각장애인이 영상물을 이용할 수 있도록 영상물 내용 중에 소리 없이 화면으로만 진행되는 부분 (배경, 행동, 표정, 자막, 그래픽 등)을 시각적으로 설명하는 대본을 작성한다.

처음 들어보는 직업이었다. '앞이 보이지 않는 존재'에게 '눈에 보이지 않는 목소리'로 세상을 전달하는 일이라니. 때마침(?) J와 2란성 쌍둥이인 오빠 H는 이 세상에 '유령처럼 보이지 않는 존재'인 지적 장애인이었고, 공교롭게도(!) H는 망막박리로 한쪽 시력을 잃었으며, 다른 한쪽도 인공 수정체를 삽입한 상태였다. 더군다나, J는 철없을 적 영화를 찍어보기도 했고, 여러 분야의 글을 쓰며 살아왔다. '뭔진 모르겠지만 이거다!' 싶었던 J는 '화면해설 방송작가'를 검색해보았다.

'?'

나오는 게 없었다. 그래서 이번엔 '화면해설 작가'를 검색해보았다.

'??'

'화면해설'도 검색해보았다.

'???'

차 떼고 포 떼고 '해설 작가'를 검색해보았지만, 검색 결과는 신통치 않았다. 그만큼 화면해설에 대한 정보는 턱없이 부족했고, 그중 제일 많은 검색 결과를 차지한 건 '화면해설 끄는 법'이었다. TV 리모컨에는 자막 설정과 비슷하게 화면해설 설정이란 게 있는데, 어느 날부턴가 낯선 목소리가 들린다며, 끄는 법을 묻는 문의 글들이 대부분이었다. 화면해설이 뭔지도 잘 모르면서 '화면해설 끄는 법'부터 알게 된 J는 먼지 쌓인 TV 리모컨을 찾아들었다. 하지만 화면해설이 나오는 방송을 찾기란 사막에서 바늘 찾기와 같았다. 화면해설인가 싶으면 내레이션이었고, 화면해설인가 싶으면 더빙이었다. 아무리 기다리고, 채널을 이리저리 돌려보아도 '화면해설'이라 짐작되는 낯선 목소리는 들을 수 없었다.

하지만 '보이지 않는 존재'와 살다 보면 '보이지 않는 것'을 찾는 데 도가 트는 법. J는 화면해설 방송작가라는 직업을 알게 된 지 한 달 후에 한국시각장애인연합회에서 화면해설 작가를 모집한다는 공지를 귀신같은 검색 솜씨로 찾아냈다. 서류와 실기 전형까지 거치면 6개월 동안 일주일에 두 번, 5시간씩 교육을 받게 된다는 내용이었고, J는 진지하게 고민했다. 실기 전형을 보자마자 '당신은 화면해설을 위해 태어난 작가다, 교육이고 뭐고 바로 우리와 함께 일을 시작하자'라는 제안을 받게 되면 어떻게 수락을 해야 할지, 김칫국을 시원히 들이켰다. 물론 그 고민이 얼마나 얼토당토않았는지, '눈에 보이는 대로 설명하는 것'이 왜 그토록 어려운 지 6개월 동안, 그리고 이후로도 계속 깨닫게 되리라는 것을 그때는 몰랐다.

화면해설이란 '지문'과 비슷한 게 아닐까 생각할 수 있다. 지문에는 인물의 행동이나 표정, 감정 등이 나와 있기도 하고, 씬(Scene) 넘버에는 장소와 시간이 나와 있기 때문이다. '그럼 그런 것들을 토대로 잘 정리하여 전달해주면 되는 거 아닌가?'라고 자문했던 과거의 J에게, 고작 영상 10분 분량을 작업하는데 두 시간이 걸려 낯빛이 창백해진 미래의 J는 뭐라 대꾸할 힘조차 남아 있지 않았다. 화면해설은 소리로 화면을 보여주는 것으로, 영상 번역이라 볼 수도 있겠다. 그리고 화면해설 방송작가는 드라마, 다큐, 영화 등의 영상 속 상황이나 표정, 행동, 카메라 앵글, 색깔 등을 적절한 시점에 정확하게 표현해주는 사람이다. 그러나 화면해설은 단순히 영상기법이 아니라, 시각장애인에 대한 이해가 있어야 할 수 있는 일이기도 하다. 단순히 대본의 지문만 옮기기에는 화면해설은 생각보다 정교하고 복잡하며, 영상에 담겨 있는 내용을 재구성하여 번역하는 것이나 다름없다. 인간은 시각에 의존하는 바가 커서, 눈으로 한 번만 보면 알 수 있는 정보들이 생각보다 정말 많다. 우리는 영상을 한번 스치는 눈길 한 번에 시간과 장소, 인물 옷차림, 인상, 상황 등을 꿰뚫어 본다. 그런데 꿰뚫을 눈이 없으면 어쩌나. 어깨에 앉은 해설 요정이 되어 "여기서 잠깐~!"을 외친 다음, 종알종알 설명을 해주면 될까? 하지만 알다시피, 방송 프로그램 대부분 쉴 새 없이 떠들고, 쉴 새 없이 자막을 띄운다. 그리고 화면해설 작가는 그 틈을 비집고 들어가 인물의 외양 묘사나 행동, 몸짓, 배경이나 장면의 분위기, 상황 변화 등을 설명해야 한다. 그래서 J는 오늘도 "아, 나도 말 좀 하자!!" 라고 성질을 내고 있다.

현재 한국의 시각장애인은 25만—등록되지 않은 시각장애인까지 합하면 그보다 훨씬 많다—정도이고, 그중 빛의 명암도 구분할 수 없는 전맹은 14%에 불과하다. 그러니까 시각장애인이라고 해서 모두 다 아무것도 볼 수 없는 상태가 아니라는 것이다. H의 시력 역시 현재 어느 정도 되고, 사물을 어떻게 보는지 J는 알 수 없다. 눈을 바꿔 끼워보지 않는 이상, 우리는 상대가 어떻게 보는지 모른다. 많은 일에 그렇듯이, 그저 같은 것을 보며 살고 있다고 착각하거나, 그럴 거라 믿고 있을 뿐이다. 그 아슬아슬한 믿음 하에, 화면해설은 전맹인 시각장애인을 기준으로 제작한다. 한국에 화면해설이 도입된 것은 2000년인데, 2011년이 돼서야 화면해설 의무 비율이 법으로 정해졌다. 그리고 2022년에 이르러서는 지상파와 위성방송, 보도 종편 등 장애인방송 의무 제공사업자들의 양적 증가는 고무적이나—5~10%가 고무적인지는 차치하고서라도—의무 비율만을 구색 맞출 뿐, 아직도 질과 양적인 면에서 부족한 점이 많다. 시리즈 드라마를 화면해설 하다가 의무 비율을 다 채웠다고 마지막 화는 제작하지 않는다든가, 1, 2화는 건너뛰고 3화부터 제작을 하지 않나, 평창올림픽과 같은 전 세계적 행사에 화면해설은 누락 되기 일쑤이며, 장애인방송 편성도 대부분 한낮이나 새벽에 몰려있다는 점 등 할 거면 제대로 해야지, 해놓고도 욕먹는 일들이 비일비재하다.

화면해설 제작은 실시간 자막 송출이나 수어 통역보다 시간이 더 필요한 작업이다. 화면해설 작가가 화면해설 대본 작업을 하고 나면 이를 성우가 낭독한 후, 엔지니어가 편집을 한 다음 방송사가 송출하는 과정을 거쳐야 한다. 따라서 대부분 본방송이 아니라 재방송에 화면해설이 포함되어 방송되곤 한다. 코로나19 여파로 드라마 같은 경우 사전 제작 비율이 높아져 이전보다는 조금 여유가 생겼음에도, 방송사 스케줄에 따라 화면해설 작가는 이리

저리 휘둘릴 수밖에 없다. 엄연히 방송 프로그램의 후반 작업에 해당된다고 생각하지만 그건 J의 생각일 뿐, 오늘도 J는 홀로 집에서 소리 없는 아우성을 외치며 자판을 두드리고 있다. 또한 문장력에 욕심내거나 나만의 색깔을 드러내는 것이 아니라, 대사와 소리 등의 영역을 최대한 침범하지 않으면서, 간결하면서도 효과적인 설명을 해야 하는, 그럼에도 스포일러가 되어서는 안 되며, 대사와 소리 사이사이 틈날 때마다 흘러가는 영상의 상황을 설명해주되, 듣는 사람이 숨 돌릴 틈도 주어야 하는, 덧붙여 성우의 호흡이나 스타일, 해설이 들어갈 타이밍을 초 단위로 고려하고, 연출 의도 파악은 물론, 나날이 발전하는 영상 기법이나 연출 방법에 대한 업그레이드도 게을리해서는 안 되며, 자료 조사도 해야 하고, 방송사 편성에 맞춰 늘 시간에 쫓기는 와중에도 그저 대본의 지문을 옮기는 건 아닌, 그 어려운 일을 J는 오늘도 해내고 있다. 영상을 3초 뒤로 끊임없이 돌려보고, 쓴 문장을 계속 중얼거려 보며, 저 방송 프로그램을 만든 제작진과 출연진 대부분은 J를 모르겠지만, 상관없다. 보이지 않는 것에는 익숙하니까.

●

매일, 매주 반복되는 마감에 지치고 회의가 들 때쯤이면, J는 눈 수술 이후 H가 좋아하는 만화영화를 CD로 사운드만 구워 듣게 해주던 때를 생각하곤 한다. H가 한쪽 시력을 잃게 된 다음, 한쪽 눈을 가리고 뒷산을 올라가 보았다는 엄마를 떠올린다. 스무 살이 넘고부터는 세상에서 지워진 존재일 뿐인 H가 아침저녁마다 베란다 창문을 열고 외치는 목소리를 기억한다.

"주민 여러분, 아침밥은 먹었니? 난 지금 먹을란다!"

"주민 여러분, 오늘도 수고 하셨어유, 잘 자유~ 그리고 내일 또 만나유!"

한번은, 듣는 사람도 없는데 왜 매일 똑같은 레퍼토리를 허공에 외치냐고 물은 적이 있다.

"들을 사람은 들을 거고, 아니면 하늘님이 듣겠지."

"하늘님이 누군데?"

"누구긴 누구야, 하늘에 계신 하느님이지. 요즘 줄인 말도 몰라?"

요즘 줄인 말은 알아도 화면해설 작가라는 직업은 생

소하다 보니, J는 직업을 말할 때마다 신기하다는 반응과 함께 여러 질문을 받곤 한다. "그냥 지문처럼 쓰면 되는 거 아니에요? 'A가 버럭 소리를 지른다' 이런 식으로." 그러면 J는 눈을 끔뻑거리다 대답한다. "소리 지르는 건 들으면 되잖아요. 안 보이는 거지, 안 들리는 건 아니니까요." 그러자 상대방은 우주의 진리를 깨달은 것 같은 표정을 짓는다. 흔히 시각과 청각 장애인을 '시청각 장애인'으로 한데 묶어 표현을 하곤 하는데, 시각이든 청각이든 장애가 없는 사람은 평소 시각과 청각을 엄격히 구분하며 살지 않다 보니, 그 두 개의 감각이 별개로 느껴지지 않을 수 있다. 하지만 생각해 보자. 시각장애인은 한국 영화는 귀로 들을 수 있지만 외국 영화는 보지 못한다. 청각장애인은 외국 영화는 자막으로 볼 수 있지만 한국 영화는 듣지 못한다. 마치 평행 우주에 살고 있는 것 같은 그 두 사람이 과연 영화 취향의 접점을 찾을 수 있을까.

국내 최초의 화면해설 영화는 2000년 10월 제1회 장애인영화제에서 상영된 〈공동경비구역 JSA〉였다. 그로부터 20년이 넘게 흐른 지금, 화면해설 분야는 배리어프리 영화, 그림동화 입체낭독, 회화, 조각, 전시관 등의 미술 영역, 학습만화, 사진, 도표, 연극, 뮤지컬, 무용, 오페라와 같은 무대극까지 넓어지고 있다. 이렇듯 우리에겐 또 다른

'공동경비구역'이 있다는 사실을 우리는 모르는 척, 살고 있다.

제2화 창살 없는 감옥

(명재 피디가 공 차면)
명재 피디가 뻥~ 찬 공이 멀리 날아간다.
주용 피디는 바가지 네 개를 들고 달린다.
종국이 불도저처럼 달려와 그대로 밀쳐버리자,
주용 피디가 종이 인형처럼 날아가 버린다.

재석　　야, 너 괜찮냐?

주용 피디가 안경을 주워 쓴다.

예능 <런닝맨> 화면해설 대본 中

J가 새내기 화면해설 작가로서 라디오 인터뷰를 했을 때였다. 그날은, 생전 예능 프로그램을 보지 않는 터라 예능 해설을 하는 것이 고역이었던 J가 마음을 새로 먹게 된 계기가 된 날이기도 했다. 화면해설은 드라마나 다큐멘터리, 예능을 주로 해설하는데, J가 시각장애인 라디오 진

행자에게 그중 어떤 장르를 제일 좋아하시냐고 돌발 질문을 했다. 화면해설의 꽃은 암묵적으로 해설이 가장 어려운 편에 속하는 드라마나 영화를 꼽곤 한다. 그래서 진행자 역시 드라마나 영화를 얘기할 줄 알았건만, 의외로 예능을 꼽았다. 솔직히 드라마는 대사를 듣다 보면 앞뒤 상황을 대강 추측할 수 있는 부분이 있지만, 하루 일과를 끝내고 돌아와 피곤한 몸과 마음으로 예능 프로를 듣다 보면 출연진들이 웃는데 왜 웃는지 몰라 울컥할 때가 있단다. 그런데 해설이 있으면 남들이 웃을 때 같은 타이밍에 웃을 수 있어서 좋다는 대답이 돌아왔다. J로서는 한 번도 생각해본 적 없는 '타이밍'이었다. 남들 웃을 때 웃는 게 그리 별스러운 일이었나. 그러고 보니 화면해설 작가 일을 하게 되면서 가장 궁금했던 것 중 하나가 '왜 전 국민이 다 알다시피 한 〈1박 2일〉이나 〈무한도전〉과 같은 예능은 해설이 없는가'였다. 두 프로그램 모두 예능에 무지한 J조차 이름을 알고 있을 만큼 시청률이 높았고, 장수한 프로그램이기도 하다. 화면해설방송 제작 비율은 전체 프로그램의 5% 정도 남짓하기에, 그럴수록 시청률이 높거나, 시각장애인들이 보고 싶어 하는 프로그램을 제작해야 하지 않을까?

어떤 프로그램을 화면해설 방송으로 제작할지, 그 선정권은 각 방송사에 있다. 어떤 방송사는 화면해설 교육을 받지 않은 담당자가 쓴 원고로 화면해설 방송을 제작하기도 한다. 그렇다면 그 선정 기준이 무엇일까? 있는지는 모르겠지만, 각 방송사에서는 딱히 그 기준에 대해 밝히고 있지 않다. 〈무한도전〉이나 〈1박 2일〉은 한두 번이라도 보지 않은 사람을 찾기 힘들 정도로 인지도가 높았지만, 저 두 프로그램은 화면해설방송으로 제작되지 않았다. 2018년 한국에서 개최한 평창 동계 올림픽 역시 평창 동계 '패럴림픽' 개막식만 현장해설을 진행했을 뿐, 그마저도 폐막식 때는 하지 않았다. 늘 그런 식이다. 면피용, 보여 주기용, 생색내기용. 편성권이 방송사의 권리라 할 수는 있다. 그렇다면 화면해설 방송 선정 기준은 누구를 위한 것일까. 방송사는 누구를 위해 존재하는지 묻지 않을 수 없다. 눈이 보이지 않는다고 눈에 보이지 않는 취급을 할 자유는 그 누구에게도 없다.

●

"이건 뭐, 창살 없는 감옥이지!!"

매일 같은 일과를 반복해야만 하는 H도 코로나 시국 1년이 지나자, 이건 아니다 싶었는지 어느 날 저리 외쳤다. 1년에 한두 번 외식을 하거나, 박물관 또는 궁에 다녀오는 게 유일한 일탈이었는데, 그조차 완전 봉쇄된 채 집 앞 슈퍼마켓조차 가지 못하고, 그야말로 집과 뒷산만을 오가던 때였다. 루틴대로 돌아가는 일상을 절대 고집하면서도, H에게는 자의가 아닌 타의로 하지 못하면 꼭 하고 싶어지는 청개구리의 피가 흘렀는데, H가 외출을 하지 못하는 가장 큰 이유는 마스크 때문이었다. H는 마스크 쓰기를 거부하였다. 답답하고, 말을 할 수 없기 때문이라는 게 이유였다. 그렇다면 잘 구슬려서 설득해야 하지 않을까. 물론 그렇다. J와 엄마는 그 분야의 달인이다. 하지만 H는 한술 더 떠, 고집의 장인이다. H는 그 어떤 감언이설이나 협박, 조언, 연설, 설득, 회의에도 꿈쩍하지 않았고, 장장 1년에 걸친 실랑이 끝에서야 목 두건으로 겨우 입만 가리기에 성공했을 뿐이었다. 목 두건은 면으로 되어 있고, 코도 함께 가리지 않는다면 아무 소용없다는 걸 알지만, H의 필수 하루 코스에 그나마 실내가 없어서 다행이었달까. 목 두건도 J가 이리저리 알아보아 손수건에 꾸러기 수비대 캐릭터를 인쇄하고, 엄마가 그 캐릭터를 하나하나 오려 목 두건에 꿰맨 것으로 H를 꼬드긴 최선의 결과였다. 언젠가 H가 마스크를 제대로 쓰게 되는 날이 코로나가 종식

하는 날 아니겠냐고, 즉 그럴 일은 없을 거라는 자조 섞인 농담을 J와 엄마는 서로 나누었다. 그러니 마스크를 쓰지 않으면 출입할 수 없는 곳은 어쩔 수 없이 갈 수 없게 되었다. 뒷산은 야외인지라 다행히 실내보다 위험은 적었지만, 최대한 사람들을 피해 다녔고, 부득이 마주칠 땐 H의 엄마가 방패가 되었다. 하지만 방송사 선정권에 버금가는 크나큰 권리가 시련이 되어 다가올 줄이야.

그날도 여지없이 뒷산을 오르기 위해 집을 나선 H가 발걸음을 우뚝 멈춰 섰다. 담벼락에 주르륵 붙어 있는 시장 후보 포스터를 보기 위해서였다. H는 후보 한 사람, 한 사람을 눈여겨보고, 엄마는 H가 글자를 눈으로 얼마나 잘 보고 읽는지 관찰하며 확인한다. H는 엄마에게 누구를 뽑을 건지 묻는가 하면, 혼자 중얼거리면서 한껏 진지한 표정으로 후보들의 생김새를 보기도 한다. 이번 투표의 콘셉트는 관상인가 보다. 투표할 권리가 생긴 이래 한 번도 투표를 포기한 적 없는 H였지만, 코로나 시국에서의 투표는 어떻게 해야 할지 J는 막막하기가 그지없어 사전 투표를 먼저 경험해보기로 했다. 마스크와 소독은 기본에 비닐 위생 장갑까지 껴야 하는, 이전보다 복잡해진 과정에 J의 머리는 지끈지끈, 심장은 벌렁벌렁 뛰었다. '차라리 기권하면 좋겠다'는 생각이 절로 들며 잠시 현실 도피를 시도했다. 투표하는 날이 아닌 척 할까 싶다가도 TV에서 도와주질 않았고, 방역지침에 따른 투표 과정에 대해 H에게 누누이 설명해 보지만 H는 콧방귀만 뀌었다. 결국 이럴 땐 이렇게 하고, 저럴 땐 저렇게 해보자는 부질없는 시뮬레이션을 J와 엄마는 돌리고 또 돌려볼 뿐이었다. 그저 투표장에 사람이 많이 없길, 투표 관리인의 협조가 매끄럽길 바라고 바랄 뿐이었다. 투표 날 아침. H는 후보자보다 비장하게 집을 나섰다. 그리고 투표장 입구에서부터 체온 재기를 당당히 거부했다. H의 엄마가 서둘러 손 소독제를 대신 묻혀준 다음, J가 미리 준비해둔 새 면장갑을 꺼냈다. 비닐 위생 장갑도 거부할 것이 분명했기 때문이다.

"뭘 이렇게까지~"

특별히 준비한 장갑이라니까 H가 씨익 웃으며 능청을 떤다. 엄마는 얄미운 H의 이마를 쥐어박고 싶다는 충동을 억누르고, 얼른 장갑을 끼워주며 비위를 맞춘다. 목 두건은 올리는 둥 마는 둥 H가 명부에 지렁이 기어가는 사인을 한다. 작은 글씨는 보지 못하는 장애까지 겹치다 보니, 엄마가 투표를 도와줘도 되는지 묻자, 투표 관리인이 눈을 홉뜬다. 발달장애인에게도 선거보조인을 허용하느냐, 마느냐는 매 투표 때마다 불거지는 문제지만, 중앙선관위는 이를 허용하지 않고 있다. 선거보조인, 대부분 보호자에 의해 대리 투표에 이를 수 있다는 것을 그 이유로 들고 있는데—소위 '정상'이라는 사람들은 얼마나 자기 생각과 의지대로 투표를 하는지 모르겠지만—일단 발달장애인도 투표할 수 있게끔 쉬운 단어와 숫자, 그림 등으로 된 선거자료나 투표용지는 준비되어 있는지부터 묻고 싶다. 그런 게 없다면 '바보면 그깟 투표 하지 말라'는, '너의 한 표 따위는 중요한 게 아니'라는 소리로밖에 들리지 않는다. 이전 투표 때는 H가 확대경을 들고 가지 않는 바람에 투표 칸을 똑바로 보지 못해 도장을 잘 찍지 못했고, 결국 무효표가 되고 말았다. H가 찍고 싶어 하는 후보 칸에 제대로 찍을 수 있게끔 도와줘도 될지 엄마는 묻곤 했지만, 늘 투표 관리인에게 거부당하거나, 자칫하면 큰 소리가 나기까지 일이 불거지곤 했다. 게다가 발달장애인의 투표 보조 문제에 대해 알고 있는 투표 관리인도 없었다. 이번엔 방역 문제까지 겹쳐 투표소에는 그전보다 더한 긴장감이 감돌았고, 확대경을 손에든 H는 다행히도 무사히 도장을 찍고 칸막이 안에서 나왔다. H는 늘 투표용지를 접지 않고 나와 본의 아니게 공개 투표가 되곤 하는데, 그 투표 행위가 뭐라고 끝나고 나면 목에 힘이 딱 들어가곤 한다. 마치

깁스를 한 것 같은 H의 어깨와 목을 보고 나서야 J와 엄마는 며칠 전부터 괴로웠던 체기가 내려갔다. 큰 탈 없이 끝났다는 사실에 감사하고, 두근대던 심장을 진정시키면서 '국민의 권리를 행사하는 게 이토록 힘들고 어렵다'며 웃었다.

그 후로도 마스크 전쟁은 이어졌다. 사람들을 이리 피하고, 저리 피하다가 엘리베이터에서 마주치면 계단으로 발걸음을 돌리는 시간도 2년이 훌쩍 넘어갔다. 슈퍼마켓에서 음료수 하나를 고르는 소소한 즐거움도, 좋아하는 역사박물관에 가는 것도, 고궁에 가서 조선의 왕에 대해 아는 척 떠드는 것도, 아주 가끔 하는 외식도, 모두 원천봉쇄된 채 살았다. 그 와중에 마스크 미착용에 대해 주민의 신고가 들어왔다고 아파트 관리소장에게 경고를 듣거나, 혹시 모를 분란을 방지하기 위해 '발달장애인은 마스크 쓰기 의무자에서 예외'라는 부분을 캡처해서 가지고 다닌 일, 뒷산에서 만난 이에게 '그래도 마스크를 쓰게 해야지, 내가 틀린 말 했냐'는 충고 듣기, 거리에 서 있는 순찰차로 다가가 경찰관에게 혼신의 눈짓 연기로 '마스크를 써야 한다'고 H에게 말해주기를 유도한 일 정도는 큰일이라고도 할 수 없는, 작은 해프닝일 뿐이었다.

"홍길동!!"

오늘은 홍길동 놀이다. 엄마가 망을 보고 있다가 경찰관이나 사람을 만나게 되면 "홍길동!"이라 암호를 외치고, 그러면 H가 목 두건을 코까지 올리는 놀이란다.

"으이구~ 내가 엄마 때문에 못 살겠다."

H는 못 이기는 척 따라주며, 코로나 때문에 일상생활이 엉망이라고 툴툴댄다. 코로나 전에도 쉽지 않았던 것들이 코로나 이후로는 더더욱 눈치 보이는 일이 되고 말았다. 모두의 안전과 관련된 일이니 묵묵히 감내할 수밖에 없다 생각하면서도, 항상 세심한 배려가 아쉽곤 하다. 그래, H의 한 표 정도는 무효표가 되어도 대세에 지장은 없을 것이다. H 한 사람의 작은 행복 정도는 모두를 위해 희생하는 것이 당연할 지도 모르겠다. 하지만 대세에 지장 없는 것들이 쌓여 창살 없는 감옥을 만드는 것일 게다. 안 보이는 사람은 보이지 않는 척 하고, 안 들리는 사람의 말은 듣지 못한 척 하며, 몸이 불편한 사람은 불편하다 여기고, 이거라도 해주는 게 어디냐며 가끔 '옜다' 선심을 베푸는 감옥. 아! 물론 선심조차 제대로 베푼 적도 없지만.

제 3 화 명명(命名)

머리는 까맣고, 긴 꼬리 끝은 하얀 저 새의 이름은 무엇인가. 분홍색 꽃, 너의 이름은 무어니. J가 분홍색 봄꽃을 검색어에 쳐넣자, 모니터 화면이 화사해진다. 겨울 논에 놓여 있는 저 하얀 원통 모양은 아무리 봐도 초대형 마시멜로인데, 다행히 J처럼 생각하는 사람이 많아 '곤포 사일리지'라는 이름은 쉽게 알아낼 수 있었다. 허나, 생전 처음 들어보는 '곤포 사일리지'라는 단어를 해설 문장에 쓰는 게 맞나. 추수가 끝난 논에 '곤포 사일리지'가 여기저기 놓여 있다고 하면, 언뜻 들었을 때 '곤포 사일리지'가 마시멜로인지, 공룡 마일리지인지 어찌 아나. 휴먼 다큐멘터리 〈인간극장〉을 3년 동안 작업을 했으면 어떤 농기구와 농기계가 나와도 손끝에서 이름이 척척 나와야 하는 거 아닌가. 하지만 J는 오늘도 초록빛 바다를 항해한다.

'나 저거 아는데….'

알아도 이름을 모르니, 해설에 '그거 있잖아요, 그거. 주차하지 말라고 주황색 고깔 콘 모양 놔두는 거'라고 쓸 수도 없고…. 이리저리 검색해보니 원뿔 모양의 고깔 콘 이름은 '라바 콘'이란다. '라바 콘'이라니, 새로 나온 부라보 콘 이름 같다. 설명할 틈은 딱 이름이 들어갈 정도밖에 안 되는데, 주절주절 길게 설명할 수도 없고…. 라바 콘은 왜 라바 콘인가. 이름 모를 저것의 이름은 또 대체 무언가. 무어라 검색해야 너의 이름을 알 수 있는가.

●

J는 병원 로비 의자에 앉아 생각을 이어나갔다. 그리고는 차트를 들고 바쁘게 호명하는 간호사를 보며, '차트 뒷면에 아이들이 좋아하는 캐릭터 스티커가 붙어 있다.'라는 해설 문장을 저도 모르게 중얼거린다. '진료실이 로비 양쪽에 늘어서 있고, 그 사이에는 대기 의자 수십 개가 줄지어 붙어 있다.'라는 문장을 덧붙이기도 한다. 진료실과 진료실 사이 벽에 붙어 있는 전광판에는 담당 교수의 이름과 환자의 접수 번호가 순서를 알려주고, 간호사와 환자는 쉴 새 없이 들락날락거린다. 소아청소년과이다 보니 어린아이들이 대부분이다. 여기저기서 울려 퍼지는 울음소리

가 귀를 먹먹하게 만드는 가운데, 한 울음소리가 J를 돌아보게 한다.

'갓난아기의 울음소리는 다르네…. 저런 소리는 해설소리에 묻히지 않도록 잘 살려줘야겠다.'

엄마의 품에 다 차지도 못하고, 겨우 팔뚝만한 갓난아기는 돌이 지난 아이의 울음소리와 다르다는 걸 J는 처음 알았다. 갓난아기의 부모와 유아의 부모, 어린이의 부모 표정이 다르다는 것도. 자신은 어떤 표정일까 싶어 J는 괜스레 목을 손가락으로 긁으며 굳은 표정을 풀었다. 병원은 늘 세상으로부터 고립되는 기분이 드는 곳이다. 저 밖에는 여전히 버스가 지나다니고, 녹음실에서는 J가 쓴 원고를 성우가 녹음하고 있겠지만, 병원 대기실 의자에 앉아 있는 그 순간, J는 늘 다섯 살배기가 되고 만다. 그런 감정, 그런 느낌은 무어라 명명할 수 있을까. 주위가 시끄러운 만큼 더욱 가라앉는 속이 울렁거린다. J는 심호흡을 하며 H의 진료 순서를 기다렸다.

1년에 두 번, H가 매일 먹는 약을 타러 엄마가 오곤 했는데, 그날은 처음으로 J가 대행을 한 날이었다. H가 병원에 직접 오지 않게 된 지도 꽤 되었다. 정기적으로 하는

뇌파 검사도, 1분 남짓 교수의 얼굴을 보는 진료도, 달라질 거 없는 결과를 듣기 위해 H를 굳이 병원에 데려오기에는 너무 힘이 들었기 때문이다. 자기 고집이 생긴다는 건 그만큼 머리가 큰 것이기도 하지만, 덩치도 그만큼 커져서 H를 질질 끌고 올 수도 없었다. 어차피 약은 거의 최소한으로 줄인 상태이고, 뇌전증 발작을 하지 않은지도 오래였다. '이상 없음'만 보고하고 약만 타오길 10년이 지났던가? 20년이던가? 그럼 H는 이대로 쭉 이렇게 사는 걸까? 이 이상 나아지진 않는 걸까? J는 새삼 궁금해졌다.

'나아진다는 게 뭐지?'

더이상 약을 먹지 않게 되면, 더이상 발작을 하지 않게 되면, 40년 동안 지지부진하던 지능이 놀랍도록 발달하여 갑자기 사칙연산을 깨닫고, 직장에 취직을 하게 되는 걸까. 그럴 리가. 지적 장애는 다리가 부러졌다가 붙는 거랑은 다르다. 애초에 H는 어쩌다 발달 장애를 겪게 됐더라? 비타민도 아니고, 분명 독한 약이 틀림없을 저 약을 40년 넘게 먹고 있는 건 괜찮은 건가? 잠깐. H가 언제, 무슨 이유로 저렇게 되었더라? J의 기억 속 H는 처음부터 저런 모습이었기 때문에 시작이 있고, 원인이 있을 거라는 생각을 해본 적이 없었다. H는 원래 저랬으니까. J는 문득, 청소년기에 뇌전증이 발병했다는 이의 글을 떠올렸다. 치료를 위해 약을 복용하였는데, 부작용으로 무력증, 피로, 졸음, 기억상실, 경련, 어지러움, 두통, 주의력 장애, 우울, 감정적 불안정성, 인격 장애, 비정상적 사고, 불면, 적개심/공격성, 신경과민/과민성 장애를 겪었을 뿐만 아니라 그 밖에 복통, 설사, 식욕부진, 흐린 시력, 근육통, 기침, 발진, 혈소판 감소증 등을 겪을 수 있다고 했다.

H의 진료 순서가 다가왔다. J는 의아해하는 눈빛과 무심한 표정을 짓고 있는 교수 앞에 앉았다. 그리고 지난 6개월 동안 별다른 이상이 없었음을 말하고, 떨리는 목소리로 질문을 했다. 교수는 '뜬금없이 그런 걸 왜 묻나' 하는 눈빛을 잠깐 흘리고는 화면에 뜬 의료 기록을 스크롤하기 시작했다. 기록은 족히 30분은 걸리고도 남을 만큼 길었다. 그리고 교수는 3분도 채 되지 않는 설명을 간단히 내뱉었다. 진료실 밖을 나와 간호사에게 대진 서류를 보이고, 약 처방과 다음 진료 일자, 뭐 그런 것들을 처리하는 데는 30초밖에 걸리지 않았다. J는 원내 약국을 찾아 두리번거리다, 결국 바닥에 주저앉아 울었다.

명명되기까지 40년의 세월이 걸렸다.

J는 시야가 뿌예진 채, 자꾸만 미끄러지는 손끝으로 새 이름을 검색하고, 동물과 꽃의 이름을 찾듯이 처음 들어보는 단어를 검색창에 쳐넣었다. 글자가 마구 흔들렸다.

라이 *증후군* (Reye syndrome): 감기와 비슷한 증상이 나타난 다음 급격하게 *의식장애*, 구토, **경련** 등의 증상을 초래하여 *3일 이내에* ***사망**하*는 무서운 증후군이다. 우리나라와 유럽에서는 *3세 이하*의 **영유아**에게 잘 발생하는데, *신생아*나 18세 이후의 연령에서는 잘 *발생*하지 않는다. ***1980년***을 기점으로 발생 빈도가 전 세계적으로 *급격히 감소*하는 추세이다. 정확한 *원인*은 밝혀져 있지 *않다*. 바이러스에 의한 상기도 및 위장관계 *감염*과 이에 따른 ***아스피린***의 복용과 관련이 있을 것으로 생각되어지고 있다. *사망률*은 10~40%이고, 생존하더라도 ***후유증***이 생길 수 있는데 *지능 장애*, 소아마비, ***간질***, 마비 등이 있다.

엄마의 목소리가 귓가에서 들려오는 듯 했다.

“H는 생후 15개월에 목 쪽에 뭐가 생겨서 입원을 했었는데, 그 후 1년 정도 지났나? 감기에 걸리거나 열이 나는 것도 아니었지만, 상태가 갑자기 안 좋아져서 병원에 갔고, 라이 증후군이라는 판정을 받았어. 아스피린? 아니. 아스피린을 먹진 않았어. 마음의 준비를 하라고까지 했지만, 고비를 겨우 넘겼지. 하지만 후유증으로 간질 발작이 지속돼서 그때 서울대학병원으로 옮겼어."

'그럼 그때가 그때였겠구나. 의식 없이 점점 차갑고 파래지는 H의 몸을 주무르며 밤을 새웠다는 때가. 그럼 그때부터였겠구나. 발작하는 H를 들쳐업고 하루가 멀다 하고 병원으로 내달렸다는 때가. 그럼 그 모든 게 그때였겠네. 옆집에 나를 맡기고 병원에 간 엄마를 기다리며 하루종일 울었을 때랑, 병원 대기실 의자에서 잠들었다가 깼는데 엄마가 없었을 때.'

J는 라이 증후군이 급격히 감소하기 시작했다는 년도 부분의 화면 액정을 지문이 닳도록 문질렀다. 1980년은 H가 태어난 해였다. 시작을 알게 됐다고 해서 달라질 것은 아무것도 없는 데도, 짐승 같은 울음소리가 자꾸만 새어 나왔다. 결혼을 하고 J가 아이를 낳으면 그 자식도 H 같을까 봐 걱정했던 게 무색해서는 아니었다. 발달 장애가

유전이 아님을 알면서도 0.0001%도 연관이 없는 걸까, 의심했던 J 자신이 부끄러워서도 아니었다. H는 어떤 병인 건지, 수술하면 나을 수 있는 건지, 차마 엄마에게 물을 수 없었던 어릴 적 J가 안쓰러워서도 아니었다. H와 함께 자라는 동안 수없이 받았던 그 눈초리들이 떠올라 화가 나서도 아니었다. 왜 하필 그러한 일이 H에게 일어난 건지, 새삼 억울해서도 아니었다. 발달 장애와 지적 장애와 자폐의 차이가 뭔지 안다고 무어가 달라질까. 뇌전증의 원인을 알게 되었다고 무어가 달라질까. 증후군의 뜻이 뭔지 알게 된다고 무어가 달라질까.

하지만.

사자에게 잡아먹히는 건 똑같아도 임팔라와 톰슨가젤은 다른 걸? 추녀마루 위에 쪼르르 장식되어 있는 와제토우들도 각자 이름이 있는 걸? 메뉴판 하나도 클립보드형, 접이형, 거치형 등 이름이 다양한데, 세상이 '바보'라 부르는 이들도 다 똑같은 바보인 건 아니잖아. 라이 증후군의 원인은 모른다 하더라도, '라이 증후군'이라는 낯선 이름 자체가 J에게는 왠지 모를 자유와 고통을 안겨주었다.

"엄마, 어떤 약을 먹으면 H가 나을 수 있어. 정상이 돼. 그럼 먹일 거야?"

언젠가 J가 한 질문에 엄마는 한참을 고민하다가, 그래도 좋은 거라면 먹여보지 않겠냐고 대답했다. J는 고개를 끄덕이면서도 갸웃거렸다. 그런데 엄마, 나아서 정상이 된다는 게 무언인지는 모르겠지만, 정상이 된 H는 H가 맞는 걸까? H는 H일 뿐인데. H 자체로는 아무런 문제도 없는 건데. 오히려 H를 비정상이라 명명하는 세상과 사람들의 문제가 아닐까? 물론 J도 간절히 바라고, 또 바라곤 했다. H가 낫길. H가 멀쩡해지길. 그런데 지금 H가 못하는 걸 하게 되면 낫는 걸까? H가 취직도 하고 결혼도 하면 멀쩡해지는 걸까? 그렇다면 멀쩡하지 않은 H는 불행한가? 그럴 일은 없을 것이고, 잘 상상도 안 되지만 남의 집 오빠처럼—남의 집 오빠가 과연 멀쩡한 존재인지는 모르겠지만—H가 그렇게 된다면 그건 H가 맞다고 할 수 있나? 하느님에게 '오빠 병을 낫게 해주세요'라는 기도는 J가 13살 때 이미 그만두지 않았던가.

그렇다면 H는 누구인가. 무어라 설명하고, 무어라 명명해야 하는가.

한참을 생각하던 J는 생각을 접고, 파이프 뚫는 도둑이 사용하는 연장을 하나씩 명명해 나갔다.

(빠르게) **핀돌이/ 공구 가방에서 해머 드릴을 꺼낸다.**

빨대 ~~야..!~~ 굵다. 진짜 1인치짜리 드릴 핀이네?

핀돌이 마, 바쁜데 마, 크게 뚫어가 많이 뽑아야지요.

핀돌이 웃통을 벗어젖히고, 3분 타이머를 작동시킨다.
핀돌은 아름드리 굵기의 송유관에
손가락 두 마디 굵기의 드릴 핀을 밸브에 삽입한다.
(송유관 안) **핀돌의 이마에 핏줄이 도드라진다.**

핀돌이 ~~어!!~~ 오케이!

구멍은 뚫렸는데 드릴 핀이 뽑히지 않는다.
핀돌은 드릴과 핀을 분리하고,
스패너로 핀을 잡아 뽑으려 애쓴다.
기름이 몰려온다.

빨대 어어어, 유증기 터진다!!

영화 <파이프라인> 화면해설 대본 中

제4화 말로 설명할 수 없는 감정

J는 아까부터 드라마 주인공들의 키스신을 수십 번 돌려 보고 있었다. 남주가 입 꼬리를 살짝 올리더니, 살며시 여주의 뒷머리를 커다란 손으로 감싼다. 먼저 이마에 살포시 입술을 대자, 여주가 눈을 스르륵 감는다. 이마 뽀뽀에서 시작했으니 입술에 가 닿기까지는 한 세월이 걸릴 것이다. 아니나 다를까, 여주가 눈을 뜨고 남주를 올려다본다. 애정 어린 눈빛? 뜨거운 눈빛? 사랑스런 눈빛? 눈망울이 초롱초롱한데 눈물이 맺힌 건가? 아닌가? 두 사람의 얼굴이 조금씩 가까워진다. 눈빛으로 얼굴을 어루만지고, 서로의 코가 스칠 때까지 또 한 세월이다. 마침내, 입술이 닿은 다음에도 한 오백 년이 흐른다. 배경음악은 흐르고, 꽃잎은 흩날리고, J의 정신은 나부낀다. '두 사람이 키스한다', '둘이 입맞춤한다'만으로 끝날 수 없는 해설. 키스신만으로 1분 가까이 흐른다면 J가 메워야 할 해설 분량도 그만큼 늘어나기 마련이다. 있는 묘사, 없는 묘사를 다 끌어다 장소나 시간

설명은 물론, 두 사람의 눈빛이 어떤지, 어떤 자세인지 두 사람의 손 위치까지 빠짐없이 설명해준다. 때마침 OST 가사가 두 사람의 마음을 대변해준다. '이 세상 한 사람, 그대라는 향기로 가득 차서 오직 단 한 사람 너뿐이야.' 배경음악을 들으며 10초를 벌었다. 그런데 입맞춤을 한 두 사람이 눈빛 대화를 시작한다. 저 눈빛은 대체 무어라 말인가. 저 표정은 무엇이고, 저 감정은 무엇이라고 얼마만큼 확신할 수 있는가. 저 사람을 너무 사랑하여 가 닿고 싶지만, 우리는 만나면 안 되는 인연이라 이를 악무는 턱 관절이 불끈거린다. 눈빛은 절절하여 금방이라도 눈물을 흘릴 것 같은데, 그 이유가 상처받아서인지, 슬퍼서인지, 화가 나서인지, 아니면 전부 다인지 알게 뭔가. 얼씨구, 또 키스한다. 키스란 자고로 두 사람의 입술이 닿는다고 끝이 아니다. 아랫입술을 베어 문다고 해야 하나, 설왕설래까지 하진 않겠지만, 잡아먹을 듯한 키스를 하는 것과 애처로운 키스를 하는 것은 느낌이 전혀 다르다. 단어를 붙잡고 고민에 고민을 거듭하던 J가 중얼거렸다. '차라리 내가 키스를 해버리는 게 낫지….'

드라마 해설 대본을 쓰다 보면 다큐멘터리나 예능과는 달리 감정선이 중요하다 보니 해설의 형태도 많이 다르다. 기본적으로 객관성을 유지하기는 하지만, 인물의 감정에 푹 빠져 목이 메는 와중에도 손가락은 놀려야 한다. 중요한 단서가 될 만한 걸 빠뜨린 건 없는지, 저 동작과 표정 설명은 어떻게 해야 하는지, J가 영상을 멈춰 놓고 끙끙댄다. 아니, 웃을 땐 소리 좀 내서 웃지, 저렇게 미소 지을 때마다 매번 '미소 짓는다, 미소 짓는다, 미소 짓는다' 해버릴 수는 없다. 표현의 반복이 듣기에 거슬릴 수 있기 때문이다. '그러느니 차라리 우는 게 낫지….'라고 중얼거리다 아랫입술을 깨물었다. '이 입이 방정이지….' 눈이 커다란 주인공은 폭발하듯 울음을 터뜨리지 않고, 눈물이 그렁그렁 차올라 볼을 타고 한 줄기로 흘러내린다. 시간이 한없이 늘어진다. 저 감정과 표정이 몇 초 동안이나 지속되었던가. 눈썹을 들썩이지도, 눈을 찡그리지도, 입술을 일그러뜨리거나, 오만상을 구기지도 않은 채, 수많은 얘기를 그저 '눈빛'으로 한 다음 돌아서는 저 인물은 또 어떠한가. 찰진 연기를 펼치는 배우가 얄미울 정도지만, 감정을 꾹꾹 누르는 저 연기를 어떻게 해설해야 배우의 연기력에 먹칠을 하지 않을지, J는 결국 머리를 쥐어뜯었다. 〈동물의 왕국〉같은 다큐멘터리야 동물이라 말이 없다 쳐도, 인간에게는 '언어'가 있거늘.

●

"말을 해 봐."

새별이가 J를 힐끗 보더니 아무 대꾸도 하지 않는다. J는 손에 쥐면 한 줌 밖에 안 될 것 같을 만큼 마른 새별이의 작은 머리통을 살살 쓰다듬었다. 암 판정을 받고, 항암 치료를 하다 중단한 후로도 2년이나 더 살고 있는 둘째 고양이였다. 그래도 몇 차례 했던 항암에 차도가 보여, 상태가 더 나빠지지 않은 채 그럭저럭 버티고 있던 때였다. 첫째와 셋째 고양이는 J가 독립할 때 데리고 나가고, 사람 좋아하는 둘째는 본가에 두고 나온 지 5년이 지났을 때였다. 설이라 본가에 왔더니, 새별이가 힘없이 엎드려 있는 모습에 J는 그 곁을 떠나지 못하고 자꾸만 맴돌았다. 2년 동안 언제 떠날지 몰라 마음의 준비를 해오며, 이 작은 생명체가 고통 없이 떠났으면 하는 마음으로 통증이 있는 건 아닌지, 어떻게 해주길 바라는지 묻고 또 물었지만 새별인 눈빛으로만 대답하곤 했다. 언제 마지막이 될지 모르니 J는 해주고 싶은 말을 새별이의 귀에 속삭였다. J를 마지막으로 보고 떠나기 위함이었을까. J가 돌아간 그 날 새벽, 새별이는 조용히 눈을 감았다. 새벽에 엄마의 전화를 받자마자 J는 택시를 타고 다시 본가로 돌아왔다. 명절 연휴라 반려동물 화장터가 문을 열지, 연다 해도 경기도 먼

곳까지 차편은 어떻게 해서 갈지, 머리와 감정이 따로 노는 와중에 자고 일어난 H에게 새별이의 죽음을 알렸다. 그런데 아무렇지도 않게 손을 흔들며 '안녕~'을 할 줄 알았던 H가 새별이의 머리를 쓰다듬으며 울먹이기 시작했다.

"새별아, 잘 가~ 천당에 가면 우리 이모한테 내 소식 전해줘. 힝…. 우리 언제 또 만나…?"

H의 낯선 모습을 보자 J의 감정이 쑥 들어갔다. 슬픔이라는 감정이 없었던 H였기 때문이다. H가 좋아하던 할아버지가 돌아가셨을 때도 H는 별 반응을 보이지 않아, J는 인간의 희로애락 중 '애'는 가장 나중에 사회화가 이루어진 다음에야 느낄 수 있는 감정이구나 생각했었다. J는 H가 기쁜지, 행복한지, 즐거운지, 짜증 나는지, 화가 나는지, H가 말하는 단어의 첫 자음만 듣고도, 손가락 하나만 움찔해도 다 알 수 있었지만, 누군가의 죽음이나, 가슴 아픈 상황을 접했을 때 H가 슬퍼하는 모습은 한 번도 본 적이 없었다. 그렇다면 H의 저 감정은 무엇이란 말인가.

"그럼 새별이 봉화산에 묻어줘야지."

새별이를 안고 나가려는 H를 J가 당황하며 서둘러 말렸다. 화장을 할 거라니까 알았다고 고개를 끄덕이더니, 새별이와의 추억을 종알대기 시작했다. “맞아, 맞아. 그랬지.” 맞장구를 쳐주며 새별이와의 마지막 인사를 나누었다. 화장을 하고 한 줌이 된 새별이의 재는 따뜻했다.

그런데 다음 날 아침, H의 엄마에게 다급한 전화가 걸려왔다. H가 꿈에 새별이를 만났다더니 ‘왜 우리 집 새별이만 죽는 거냐’, ‘천당에는 잘 갔으려나?’ 하다가, 갑자기 새별이가 보고 싶다며 울음을 터뜨렸다는 것이다.

‘H가 엉엉 울었다고? 짜증 나고 화가 나서가 아니라, 슬프고 마음이 아파서? 가슴이 미어지는 감정을 말로 표현할 수 없어서?’

J는 마음이 이상해졌다. 슬픔에 대한 H의 성장이 짠하기도 하고, 감동스럽기도 하고, 당혹스럽기도 했다. 결국 J는 전화를 받자마자 새별이의 유골 항아리를 들고, 또다시 본가를 찾았다. 이 상황을 어떻게 헤쳐 나가야 할지 H의 엄마와 의논하다가, ‘죽음에 대한 의례’가 필요하다는 데 뜻을 같이 했기 때문이었다. J는 H와 함께 유골 항아리를 소중히 들고 뒷산에 올랐다. H는 오르는 내내 15년 동안

새별이 덕분에 행복했고, 괴롭혔을 땐 미안했으며, 오빠 밥을 좋아해줘서 고마웠다는 온갖 인사를 하다가, 매일 뒷산을 오르내릴 때마다 지나칠 수 있는 나무 하나를 선택했다. 그리고 셋이 함께 땅을 파고, 하얀 재를 묻고, 작별 인사를 하고, 흙을 덮고, 발로 밟아주고 나서야 H는 홀가분한 표정으로 돌아섰다. 그렇게 새별이가 떠나고, 인사하고, 화장하여 묻어주기까지 3일이 걸렸다. H가 난생처음, 정식으로 겪은 3일장이었을 것이다.

"새별이가 죽었다는 게 믿어 지지가 않아."

그 후로도 열흘이 넘는 시간 동안 H는 평생 하지 않아 왔던 애도를 몰아서 하는 것처럼 굴었다. 집안에 붙여 놓은 새별이의 사진을 떼면서 울었고, 꿈에 새별이를 만나기 위해 일찍 잠자리에 들었다. 잠에서 깨서는 실은 꿈에서 만난 건 새별이가 아니라 작은 곰이었다면서 울었고, 매일 뒷산에 오를 때마다 새별이 나무를 끌어안으며 잘 잤냐고, 춥진 않았냐고, 외롭지는 않았냐고 물어본 다음 나무에 귀를 댄 채 울었다. H가 놀이 삼아 하던 역할극에는 새별이와 나누는 1인 2역이 추가됐다.

"오빠 밥 먹을 때 햄도 뺏어 먹고 그랬지만, 잘 놀아 주고 해서 고마워."

"새별아, 왜 죽었어~ 오래도록 같이 살고 싶었는데…. 있을 때 잘해줄 걸 그랬어. 보고 싶어."

새별이의 재를 묻은 나무에는 얼마 후 새로운 까치집이 생겨났다. H는 깍깍거리는 까치를 올려다보며 새별이를 잘 지켜 달라고 부탁했다. 그 순간, 구름 속에 숨었던 해가 나오며 나뭇가지 사이로 햇빛이 비쳐들었다.

"새별이가 해가 되어 '오빠, 안녕!' 하고 인사하네?"

H는 해를 향해 손을 흔들어준 다음, 엄마를 돌아봤다.

"새별이가 한 줌의 재가 된 것처럼 엄마도 죽으면 재로 변하겠지?"

"그럼 엄마도 죽으면 화장해서 새별이 나무에 묻어줄 거야?"

"새별이는 동물이니까 화장을 한 거고, 엄마는 곰 인형이랑 함께 묻어줄 테니 '아들이다' 생각하면서 꼭 안고, 하늘나라로 여행 가."

그러더니 잠시 후 말을 바꾸었다. 자기가 장가가는 것도 보고, 손주 재롱까지는 봐야 된다며, 그러니 건강해야 된다고, H는 엄마의 팔을 잡고 신신당부를 한다. 그렇게 한달 여에 걸친 H의 성장통은 마무리됐다.

그리고 3년 반 후.

"로또가 죽었다는 게 믿어 지지가 않아."

이번엔 추석 때 첫째 고양이 로또가 떠났다. 새별이 때는 자주 봤다 하더라도 떨어져 산 지 5년이 지난 때였고, H의 성장통을 지켜보느라 막상 J는 애도할 시간이 많지 않았다. 하지만 로또는 20년 동안 J 인생의 절반을 함께 한 고양이였다. 로또의 그 마지막 숨을 지켜봤으면서도 믿어지지 않았다. H도 이런 마음이었을까. 이 감정이 무어라 생각했을까. 집안 곳곳에 로또의 부재로 인한 구멍이 생겨났다. 존재감이 사라지며 그곳의 공기까지 사라진 듯, J는 숨을 쉴 수 없었다. J의 마음속에 로또는 이렇게 생생하게 있는데, 정말 없다는 게, 절대로, 두 번 다시 없다는 게 이상했다. H가 그러했던 것처럼 J도 시도 때도 없이 눈물을 터뜨렸다. 이런 건 줄 알았다면, 그때 H의 마음을 좀 더 보듬어줄 걸 그랬다고 생각했다. H는 새별이의 부재를 지금도 감당하고 있을까? 이런 감정은 무어라 해설할 수 있을까? '말로 설명할 수 없는 감정'이라는 뻔한 수식어가 더이상 뻔해지지 않았다. 얼마나 많은 사람들이 그런 감정들을 품고 살아가는 걸까. H에게 그런 감정을 알게 해준 게, 새별이의 마지막 선물이었을 지도 모르겠다.

"새별아, 로또야, 잘 잤어?"

H는 오늘도 나무를 끌어안고 인사한다. '새별이' 나무는 이제 '새별이, 로또' 나무가 되어 H의 마음에 뿌리내렸다. 슬픔의 가지도 뻗어 나가 언젠가 빛을 머금게 될 것이다.

홍천기　　괜찮습니다. 이제 모든 것이 제자리를 찾은 것일 뿐입니다. 원래 있던 자리로요.

하람이 눈썹을 늘어뜨리며,
자신의 얼굴을 감싸고 있는 천기의 손을 살포시 어루만진다.
천기의 입가에 어슴푸레한 미소가 피어난다.
하람이 천기의 머리와 뒷목을 감싸며, 고개를 옆으로 튼다.
하람과 천기의 입술이 맞닿는다.
눈을 감는 천기의 볼을 타고, 눈물 한 방울이 흘러내린다.

하람은 조심스레 천기의 입술을 머금는다.

(입술 떨어질 때) **두 사람의 입술이 떨어지고,**

하람의 눈빛이 천기의 얼굴에 부드럽게 가 닿는다.

삼신 (E) 오래오래 행복하게 살 거라. 두 사람은 처음부터 하나가 될 운명이었으니..

드라마 <홍천기> 화면해설 대본 中

제5화 주어는 앞으로 나란히

2018년 3월. J는 '나는'이라는 비장애인 형제 자조 모임에 처음 나갔다. J가 자랄 때는 인터넷이 없어 각종 커뮤니티나 자조 모임, 정보 등에 어두울 수밖에 없었다. 이제 와서 새삼 '나와 비슷한 사람들'의 필요성을 느끼진 않았지만, J는 궁금했다. '나는'이라니. J가 자라오며 수없이 속으로 외쳤던 말 아닌가. '엄마, 나는?' '엄마, 나는!' 게다가 프로그램 제목도 '대나무 숲 티타임'이었다. 임금님 귀는 당나귀 귀라고, 혹시 그 큰 귀를 내게 기울여주는 걸까? 장애인 당사자나 부모가 하는 말에도 귀 기울여주지 않는 판에, 비장애인 형제가 주체가 되어 하는 말을 들어주는 귀는 더더욱 없곤 했다. 장애인을 주인공으로 하는 드라마나 영화, 책들은 없지 않았고, 장애아를 키우는 부모가 주체가 되는 경우도 꽤 있었지만, 그들의 비장애인 형제 이야기는 늘 배경으로만 나올 뿐이었다. 장애인 주인공의 동생, 혹은 장애인 자식을 둔 부모의 '손 덜 가는 자식'과 같은 역할로 말이다.

H의 존재는 J의 삶과 정체성에서 빠질 수 없는 부분이긴 하지만, 그것을 이해해주는 이는 거의 없었다. J를 생각해서 해주는 말이라곤 '너 자신을 우선시 하라'이거나, J와의 관계를 생각해서 H와 한 번쯤 어울려주는 정도랄까. 그런 생각과 태도들이 '틀렸다'라고만 할 수 있는 것도 아니었다. H는 엄마의 자식이지 J의 자식은 아니었고, 부모 자식과 형제자매 사이의 관계는 다를 수밖에 없다. 하지만 J가 H에게 갖는 감정도 함께 한 시간의 역사만큼이나, 부모 자식 못지않게 복잡한 결을 띤다. 그에 대한 누군가의 이해나 공감은 기대하지 않는 터라, 아니 실은 그냥 포기한 터라 J는 궁금했다. '포기' 다음은 무얼까 싶어 J는 모임에 나갔고, 돌아오는 길에는 발걸음이 휘청거렸다. 커다란 솥에 가라앉은 앙금을 기다란 막대로 휘저은 듯했다. 괜찮을 거라고 생각했지만, 늘 그렇듯 괜찮을 거라는 말은 괜찮지 않을 거라는 걸 알기에 바라는 주문이나 마찬가지 아니던가. 쌀쌀한 봄 날씨 속에서 J는 울렁이는 속을 가라앉히려 애썼다.

그런 식으로 자기 자신을 소개하는 자리는 한 번도 없었다. 내가 어떤 장애를 가진 형제의 언니, 동생, 형, 누나, 오빠인지. 물론 타인은 늘 비장애인 형제를 장애 형제의 덤이나 세트로 인식하곤 했지만, '나는' 모임에서는 '나'라는 주어 자리에 비장애인 형제를 두고, 취미나 혈액형을 이야기하듯 자신의 장애 형제를 덧붙여 소개했다. 모인 사람 모두 '비장애인 형제'라는 상투적인 정체성이 깔려 있긴 했지만, 그 안에는 다양함이 공존했다. 그날 처음 본 사람들끼리 쏟아내는 이야기는 똑같은 이야기이기도 했고, 다른 이야기이기도 했다. 2, 30대가 주요 연령대이다 보니, 어릴 때부터 쌓인 앙금이 뒤늦게 터져 나와 자신의 정체성을 찾아가며 방황하고, 연애와 진로에 장애 형제가 미치는 영향에 몸부림치는 이들이 많았다. 그 모임에서 J는 비장애 형제가 사회복지사가 되는 경우가 왕왕 있다는 사실을 처음 알고 놀랐다. J는 H 때문에 더더욱 고려하지 않았던 진로였기 때문이다. 하긴, J도 자라는 동안 'H가 아프니 네가 의사나 사회복지사가 되어야 하지 않냐, 사회봉사를 하며 살아야 하지 않냐'는 소리를 심심찮게 듣곤 했다. 그럴 때마다 J는 어색하게 웃으며 대답을 피하곤 했지만, 속으로는 툴툴거렸다. 'H는 고칠 수 있는 병이 아닌 걸, H로도 충분히 벅찬데 왜 직업까지 삼으라는 거지? 비장애 형제는 착하니까 당연히 봉사를 해야 한다는 거야, 뭐야.'

부모 역시 '우리는 혹시 모두 같은 부모를 공유하고

있는 건 아닐까'라는 생각이 들 만큼 공감되는 부분이 많았다. 부모들은 비장애 형제에게 제2의 부모 역할을 바라면서도, 부모가 죽으면 비장애 형제에게 짐이 되지 않게 하겠다며 '넌 네 갈 길을 가라'는 모순되는 태도를 취했다. 그리고 '부모'라고 지칭을 하긴 했지만, 열에 아홉은 '어머니'에 국한된 이야기이기도 했다. 어머니의 희생이야 어떤 이야기를 들어도 눈물겨울 만큼 다양했지만, 아버지는 어쩜 그리도 네 아버지가 내 아버지 같고, 내 아버지가 네 아버지 같은지…. 친한 친구나 애인에게 장애 형제의 존재에 대해 고백하는 방법이나, 2박 3일 동안 말을 해도 부족할 부모에 대한 서운함, 장애 형제를 돌보는 일에 대한 어려움과 같은 이야기도 단골 메뉴였다.

한 달에 한 번, 반년에 걸쳐 계절이 바뀌는 동안 모임은 계속되었다. '아….' 하면 울고, '어!' 하면 웃는 시간이었다. 묵은 상처를 헤집는 느낌에 멀미가 나기도 했지만, J로서는 어떤 이야기를 해도 안전하고 공감받을 수 있다는 편안함과 A만 말해도 Z까지 알아들어 보충 설명을 하지 않아도 되는 편리함을 처음 느껴보는 자리였다. 누군가의 앞에서 장애 형제가 있음을 말하는 게 처음이라는 이가 결국 눈물을 보였을 땐 휴지를 건네며 가만히 기다려주었고, 중증 자폐인 장애 형제가 어쩔 땐 그냥 식물 화분처럼 느껴진다는 말에는 고개를 끄덕였으며, 발달 장애 여자 형제가 생리를 하지 않아 집안이 발칵 뒤집어졌다는 말에는 덩달아 심장이 덜컥 내려앉았다. 장애 형제 때문만은 아니지만, 결국 결혼이 일그러졌다는 말에는 할 말을 잃었고, 발달 장애가 '랜덤' 같은 거라 할지라도 자식을 낳으면 장애 형제와 같은 장애에 또다시 '당첨'될까 봐 비출산을 선택했다는 말에는 웃음을 터뜨리면서도 심장이 욱신거렸다. 결혼을 해서 좋은 점이 있냐는 질문에 '외출했을 때 장애 형제와 같은 성별인 남편이 화장실에 데리고 갈 수 있다'는 점만을 꼽아 배꼽을 잡기도 했다. 장애 형제가 부모와 같이 살고 있어도 장애인 연금을 받을 수 있다거나, 후견인 제도를 비롯하여 여러 복잡한 복지 제도에 대한 정보를 들을 때면 부지런히 메모도 했다. 남들이 들으면 '어떻게 저런 얘기를 하며 웃나' 싶은 이야기를 시종일관 웃으며 하다가도, 한 명이 갑자기 눈시울을 붉히면 너도나도 발개진 눈으로 말없이 휴지를 건넸다. 도전적 행동이나 돌발 행동 때문에 경찰을 부른 일, 경제적 어려움 때문에 유학이나 독립이 여의치 않은 일, 조현병이나 뇌성마비 등의 중복장애로 인한 고충, 통제가 조금 수월한, 소위 '예쁜' 장애가 아니라 중증 장애일 경우에는 활동 보조를 구하기 어렵다는 하소연, 주간 보호 센터에 맡겼다가 벌어지는 크고 작은 사건들, 시설입소에 대한 고민과 죄책감, 부모 사후 장애 형제와의 미래 등 그들이 별처럼 쏟아놓는 수많은 이야기는 별자리가 되어 반짝거렸다.

J가 한창 힘들 때, 그럼에도 결국 스스로의 힘으로 일어설 수밖에 없었던 시기에 '이런 모임이 있었더라면 어땠을까'라는 생각이 들었다. H가 아니라 J를 주어에 두고, 정답은 없지만 함께 해답을 찾아가는 동지가 있다는 것만으로도 덜 외롭지 않았을까. 'H는'이 아니라 'J는'으로 문장이 시작하는 이야기를 할 수 있지 않았을까.

●

J는 외로움이 묻어나는 눈빛으로 H의 뒷모습을 바라본다.

대본을 검토하던 J가 '외로운 눈빛의 J는 H의 뒷모습을 바라본다'라고 썼던 문장을 위와 같이 수정했다. 화면해설의 문장은 주어가 앞으로 와야 한다. 비시각장애인이야 화면을 보면 행동의 주체가 누구인지 바로 알 수 있지만, 시각장애인은 그렇지 않기 때문이다. 주어가 빠지지 않고 앞에 오는 영어와 달리, 주어 생략이 많고 뒤로 빠지는 경우가 많은 한국어는 그래서 끝까지 들어봐야 한다고 하던가. 하지만 화면해설은 간결한 문장이 필수이기에 그러한 밀당을 할 틈이 없다. 주어부터 시작하고 봐야 한다. 그러다 보니 J는 소설을 읽다가도 주어부터 찾게 되고, 주어가 없으면 불안해지는, 직업병 아닌 직업병에 걸릴 정도였다. 하지만 예능 프로그램에선 이를 지키기 어려운 경우가 많다. 예능 자체가 워낙 말이 많고 자막도 넘치는 데다가, 특히 웃음 포인트가 중요할 때가 많은데, 그 타이밍을 맞추려다 보면 1.7초 사이에 '주어+서술어'로 된 문장은 들어갈 틈이 없다. 그럴 경우 부득이하게 'A는 ~한다'로 문장이 끝나지 않고, '~하는 A' 식으로 주어를 뒤로 빼 도치하기도 한다. J는 도치해서 더 짧게 줄인 문장을 대사와 대사 사이에 중얼거려 보았다. 그래도 1.5초 정도가 뒷말과 겹쳐질 것 같다. 조사 하나를 바꿔본다. 여전히 1초가 겹칠 듯 하다. 문장 앞에 '빠르게'라는 디렉션을 메모한다. 성우가 빠르게 읽고, 엔지니어가 편집 점을 맞춰 어떻게든 우겨 넣어 주시리라. 그러면 시각장애인도 비시각장애인과 같은 타이밍에 빵 터질 수 있겠지. J는 아픈 손목을 빙글 돌리며, 잠시 흐뭇해했다. 예능 프로그램은 대본이 없는 경우가 많아 대사를 일일이 손으로 받아쳐서 작업하곤 한다. 화면해설이 무슨 말 다음에 들어가는지 표시를 해주어야 성우가 그 타이밍에 맞춰 녹음을 할 수 있기 때문이다. 그래서 화면해설 문장의 앞

뒤로 들어갈 대사들을 받아 적곤 하는데, 예능은 워낙 해설 분량이 많다 보니 작업을 끝내고 나면 A4 60장을 훌쩍 넘기는 일이 비일비재하다. 그러다 보면 당연히 손목이 아플 수밖에 없지만, J는 그때마다 '화면해설 덕분에 남들 웃을 때 같이 웃을 수 있었다'는 말을 떠올리곤 한다. 손목의 통증이 사라지진 않아도, 조금은 힘이 난다. 별거 아닐지 몰라도, 남들 웃을 때 같이 웃을 수 있는 그런 시간을 누구나 함께 가졌으면 좋겠다.

그렇게 공감할 수 있는 시간을 J는 '나는' 모임에서 나눠 가졌다. 주어 자리에 놓이지 못했던 이가 주어가 되어 공감받을 수 있던 곳. 그들의 장애 형제들은, 그리고 H는 세상에게 공감받지 못하는 존재들이다. 비장애 형제들의 존재와 J의 외침도 역시 묻히기 일쑤다. 마치 주어가 없어도 성립되는 한국어의 문장처럼 있어도 없는 듯, 없어도 문제없는 존재들. 하지만 '주어'란, 문장에서 동작이나 상태, 성질의 주체가 되는 말이다. 우리는 우리 각자의 삶에서 동작이나 상태, 성질의 주체이다. 대본을 다시 검토하던 J는 '주어는 앞으로, 주어는 앞으로'를 중얼거리며 노래한다.

주어는 앞으로, 앞으로, 서술어는 뒤로, 뒤로.

J에게 H는 지켜야 하는 존재였다.
J는 항상 H 뒤에 가려진 존재였다.
H는 앞으로 J는 뒤로, J는 앞으로 H는 뒤로.
J와 H는 나란히 걸을 수 있을까.
H는 세상의 주어가 될 수 있을까.
J는 H의 서술어가 될 수 있을까.

주어와 서술어가 도치되고, 웃음이 터지는 순간.
그들에게도 그런 순간이 올까.

마크 그렇지. Slowly, slowly, 하리.

하리가/ 두 번이나 부딪혔던 구간을 천천히 통과한다.
하리는 한 칸, 한 칸씩 올라가 정글짐을 건넌다.
하리는 집중해서 정글짐을 빠져 나오는데 성공하고,
이어서 구름사다리를 올라간다.

마크 그것도 높고. 여기 더 높지. 여기 더 어려워.

하리가 쉽사리 올라가지 못하자, 마크와 진옥 씨가 도와
하리를 끌어 올려준다.

이진옥　　Well done.

한결 밝아진 표정의 하리는
구름사다리 위를 주저앉은 자세로 천천히 건넌다.
강승화는 눈을 깜빡이고, 홍석천은 눈물을 훔친다.
진옥 씨가 조마조마해 하며 하리를 지켜본다.

강승화　　잘했다! 오~ 좋아, 좋아!
사유리　　해냈다!

하리가 끝에 다다라 내려온다.

사유리　　드디어 끝까지 했네요.

<이웃집 찰스> 화면해설 대본 中

제6화 일석이조

예능은 참 길기도 하다, 웃음은 찰나이건만. 드라마도 예전엔 한 편에 50분이었던 것 같은데 어느새 60분을 넘어 야금야금 70분을 채운다. 예능 프로를 작업하던 J가 남은 러닝 타임을 확인했다. 작업을 시작한 지 1시간이 지났지만, 아직 전체 러닝 타임의 10분도 채 해설하지 못했다. 그렇다면 총 러닝 타임 88분에서 남은 러닝 타임은 80분이니까 1시간에 10분씩 한다고 계산하면, 꼬박 8시간…으로 해결될 리가 있나. J는 한숨을 폭 내쉬고 기지개를 켰다. 그래도 1분이 모여 10분이 되고, 10분이 모여 100분이 된다는 걸 안다. 그렇게 하나씩, 하루씩 하다 보면 일주일이 흐른다는 것도 알고 있다. 그러다 보면 꽃이 피고, 녹음이 우거지고, 낙엽이 지고, 눈이 내린다는 것을 누군들 모르랴. 강태공만 세월을 낚으란 법은 없다. 하지만 흔들림 없이 묵묵하고 차근하게 해나갈 수 있는 것도 분명 재능일 터, 성격 급한 J는 그새 남은 러닝 타임을 또 확인한다.

얼마나 흘렀을까. 이른 저녁을 먹고 작업을 이어나갈까, 아니면 작업을 끝마치고 늦은 저녁을 먹을까 고민하고 있는데, 칸트의 엄마에게서 카톡이 온다. 모니터 구석의 시간을 흘낏 보니 H의 저녁 작업이 끝났을 시간이다. 아니나 다를까, 오늘도 칸트 H가 클레이로 만든 십이간지 사진이 또로록 와 있다. 계절과 요일, 시간, 그리고 규칙 아래에서 H는 하루하루 성실하게 살아간다. 꾀가 날 법도 한데 뒷산 오르기는 단 하루도 빠진 적이 없고, 지겨울 법도 한데 하루에 두 번 하는 클레이 작업도 빼먹은 적이 없다. 내일 지구가 멸망해도 오늘 사과나무를 심는 자가 바로 H다. 그리고 H의 사과나무는 바로 '꾸러기 수비대'이다. 맞다. 똘기, 떵이, 호치, 새초미, 자축인묘, 드라고, 요롱이, 마초, 미미, 진사오미, 뭉치, 키키, 강다리, 찡찡이, 신유술해, 그 꾸러기 수비대. 90년대 중반 그 만화를 보고 자란 세대는 위 문장을 읽다가, 노래가 자동 재생됐을 지도 모르겠다. 때마침 작업하고 있던 예능에서도 문제를 맞히기 위해 자축인묘를 중얼거리더니, 비슷한 또래의 출연진들이 목소리 높여 꾸러기 수비대 노래를 합창한다. H는 그 당시 중학생이라 그 출연진들보다는 나이가 많았지만, 중학생 때부터 꾸러기 수비대에 꽂힌 건 아니었다. 눈이 불편해진 H를 위해 H가 좋아하던 애니메이션

OST를 들으라고 J가 음원만 따 CD로 구워온 게 시작이었다. 스마트폰이 없는 H가 음악을 들으려면 그 수밖에 없었다. 그러다가 USB를 TV에 연결시켜 보는 방법을 알아내었고, 시력이 어느 정도 회복된 다음에는 예전에 즐겨 봤던 애니메이션이나 드라마들을 구해다 주었다. 〈우뢰매〉, 〈후뢰쉬맨〉, 〈홍길동〉, 〈슈퍼 그랑죠〉, 〈슈라트〉, 〈날아라 슈퍼보드〉, 〈꾸러기 수비대〉는 물론, 드라마 〈야망의 전설〉, 〈첫사랑〉, 〈모래시계〉, 〈무인 시대〉, 그리고 사극을 좋아하니 〈왕과 비〉, 〈광개토태왕〉, 〈용의 눈물〉, 〈태조 왕건〉까지. 그중 H의 최애는 〈광개토태왕〉과 〈꾸러기 수비대〉이다. 92부작인 드라마 〈광개토태왕〉을 H는 지금까지 과장하지 않고 100번은 넘게 봤을 것이다. 꾸러기 수비대로 말할 것 같으면, H의 집에는 꾸러기 수비대가 함께 살고 있다고 해도 과언이 아니다. 아침을 먹고 나면 꾸러기 수비대 캐릭터가 한 마리씩 인쇄된 컵으로 물을 마시고 양치를 하는데, 캐릭터마다 그 용도가 다 정해져 있다. J는 보기만 해도 골치가 아파, 굳이 H에게 용도를 묻진 않았다. 양치가 끝나고, J가 주문 제작한 꾸러기 수비대 옷을 입은 H는 뒷산에 갈 준비를 한다. 꾸러기 수비대 옷은 열두 마리 꾸러기 수비대들이 세 마리씩 4열 혹은 네 마리씩 3열로 옷 한가운데 인쇄된 옷으로서, 집에서 입는 옷과 산에 갈 때 입는 옷이 따로 있고, 계절별로 반소매와 긴 팔, 후드 티 등이 있다. 그리고 그 옷 위에 역시 J가 주문 제작한 동그란 꾸러기 수비대 배지를 다는데, 예를 들어 오늘이 '신' 뭉치의 날이라면 뭉치 배지를 꾸러기 수비대 옷의 뭉치 자리에 다는 것이다. 매년 무슨 띠인지와 별도로, 매일매일 십이지가 순서대로 도는 건 무슨 규칙인지 H가 뭐라 설명했던 거 같지만, 이 역시 J는 관심이 없어 한 귀로 듣고 흘렸다. 또한 마스크 대용으로 쓰는 목 두건에는 꾸러기 수비대가 세 마리씩 인쇄되어 있는데—왜냐하면 얼굴은 가슴팍보다 작다 보니 꾸러기 수비대가 들어갈 수 있는 공간이 작기 때문이다—꾸러기 수비대 목 두건은 꾸러기 수비대를 인쇄한 손수건을 주문 제작한 다음, 세 마리씩 오려서 목 두건에 꿰맨 것이다. 요즘엔 마스크 줄을 이용해서 꾸러기 수비대 한 마리로 만든 입 가리개(?)도 있다. 하여튼 목 두건에도 오늘 해당 되는 동물 배지를 달아야 한다. 이 모든 작업은 전날 뒷산에서 돌아왔을 때 미리 준비를 해놓는다. 마지막으로 꾸러기 수비대로 꾸민 여의봉을 들면, 뒷산 갈 준비가 끝난다. 이때 여의봉이란—아니, 이게 뭐라고 화면해설 대본을 쓰듯 이렇게 구구절절 설명하나 싶지만 엎어진 김에 쉬어가는 법이랬다—등산 스틱처럼 지팡이로 쓸 만한 길이에, 500원 동전만한 굵기의 나뭇가지를 주워 오면, J가 A4에 출력하여 갖다 준 꾸러기 수비대를 한 마리씩 오려 나뭇가지 겉면에 투명 테이프로 위에서부터 아래까지 쪼르르 붙인 것이다. 이를 여의봉 작업이라 부르는데, 대부분 오후에 〈광개토태왕〉을 보며 H가 하는 작업이다. 종이와 테이프는 매번 재사용을 하는 데다가, 깔끔히 붙이는 능력은 떨어지다 보니 테이프는 덕지덕지요, 꾸러기 수비대는 정작 잘 보이지도 않지만, H 나름대로의 규칙과 미의 기준이 있다고 엄마가 귀띔해준다. 내일 해당하는 꾸러기 수비대 동물은 오늘 미리 여의봉 제일 위에 붙이고, 나머지 동물들은 십이간지 순서에 따라 그 아래 줄줄이 붙이는 작업이라 매일 매일 해야 한다나. 그렇게 매일 몇 시간에 걸쳐 여의봉 2~3개를 작업하여 H 마음에 들면 뿌듯하게 자랑하고, 마음에 안 들면 방망이 깎는 노인네 마냥 죄다 뜯어 다시 작업한다. J나 엄마가 볼 땐 아무리 봐도 그게 그거 같지만.

꾸러기 수비대 세계관은 여기서 끝이 아니다. 눈 수술을 받은 이후, 1년 정도 H를 동네 미술학원에 보낸 적이 있다. H와 24시간을 붙어 있던 엄마에게 1시간이라도 숨쉴 틈을 주기 위해서였다. 미술학원에서는 여러 가지 작업을 했는데, 그중 H가 그나마 흥미로워했던 것은 클레이

찰흙을 만지작거리는 거였다. 아무래도 시력이 불편해지다 보니, 일기 쓰기나 역사책 베껴 쓰기 등을 점점 하지 않게 될 무렵이었다. 반듯하던 글자의 크기가 부쩍 커지고, 노트 윗줄과 아랫줄의 글자와 자간이 겹쳐지는 걸 보고, H의 엄마가 어떤 마음이었을지 J는 모른다. J가 할 수 있는 건 그저 모니터를 큰 거로 바꾸고, 아이콘이나 마우스 커서 세팅도 크게 바꾸는 것, 그리고 일반 키보드의 키(key)보다 1.5배 큰 일명 '어르신 키보드'로 바꿔주는 것이었다. 그런 상황에서 다니던 미술학원을 그만둔 다음에도, 집에서 심심풀이 삼아 만들라고 J는 클레이를 주문해주었다. 그놈의 꾸러기 수비대는 질리지도 않는지, H는 클레이로도 꾸러기 수비대 동물들을 만들었다. 그게 그놈 같아 보였지만, H에게 물어보면 나름 특징들이 있었다. 똘기나 강다리는 손에 장대와 같은 무기가 들려 있다는 점, 찡찡이는 배에서 기화폰지 뭔지를 쏘기 때문에 배가 볼록하다는 점, 드라고는 구름을 타고 있다는 점 등등. 그런데 현실적인 문제가 생겼다. 매일 빵을 만들고 밥을 짓는 것 마냥 클레이를 만들어댔으니, 그 값으로 한 달에 20만 원이 족히 들어갔다. 미술학원 대신이라 생각하고, 클레이 작품들을 캔버스에 붙여 집안 이곳저곳 장식도 하면서 1년이 흐르자, 비용 부담이 적잖게 되었다.

그리하여(?) H의 엄마는 도둑질을 시작하였다. H는 8절지 크기만한 화이트보드를 작업대 삼아 만들기를 하곤 했는데, H의 작품은 3D 입체 모양이라기보다는 화이트보드 위에 부조처럼 붙이는 형식이라 마치 쿠키 반죽 같았다. 물론 오븐에 넣는 대신, 창고 방에 볼풀장처럼 마련해둔 곳에 산더미처럼 쌓아두곤 한다. 그전에는 상자에 담았었는데, 상자가 쌓이고 쌓여 천장까지 닿자 H의 엄마가 비닐을 빙 둘러 따로 마련한 공간이었다. 여하튼, 도둑질의 과정은 다음과 같다.

① 작업을 마친 H가 화장실에 들어간 사이나 TV에 정신이 팔려있을 때, H의 엄마가 뒷베란다와 접해 있는 창고 방 창문을 통해 몰래 넘어간다.
② 클레이 작품들 윗부분을 손으로 하나하나 만져가며 H가 조금 전 쌓아두었을 작품을 찾아낸다.
③ 작품이 마르기 전에 얼른 한 덩어리로 뭉쳐 클레이를 담아놓는 통에 다시 넣는다.
④ 다시 창문을 통해 나와 시치미를 뗀다.

감당 못 할 만큼 늘어나던 작품들이 시간이 흘러도 그 수가 늘어나지 않으니 H는 이상하다는 것을 눈치챈 것 같았지만, 물증이 없으니 H와 엄마의 기묘한 눈치 게임은 계속되었다. 어느 날은 엄마가 몰래 도둑질을 하던 중 H가 갑자기 부르는 바람에 서둘러 창문을 넘다가, 베란다 수도관에 무릎을 박아 피를 철철 흘리는 사고도 발생했다. 그래도 들키진 않았으니 피 묻은 승리랄까. 본래 빨강이면 빨강, 노랑이면 노랑, 한 가지 색이었던 클레이가 도둑질 이후로 여러 가지 색깔로 섞이자, 어느 날부터인가 H는 한 가지 색깔로만 작업을 하기 시작했다. 그리고 왜 볼풀장의 클레이 작품 수가 늘어나지 않는지, 혹시나 건드리면 혼날 줄 알라고 으름장을 놓았다. 그래도 안심이 되지 않는지, 작업을 마친 작품을 일부러 다시 조각조각 떼어 볼풀장에 넣었다. 하지만 아무리 뛰어봤자 엄마 손바닥 안인 H가 벗어날 날이 언젠간 올까.

미술학원 선생님은 그 작품들을 모아다 나중에 전시회를 열자 했지만 그 정도의 실력은 아닌 것 같고, 그렇게 3년이 흐른 2019년 5월. J는 문득 H 자신의 기록이 없다는 생각을 했다. 엄마가 페이스북에 일기처럼 쓴 산행기는 책으로 엮어드렸고, J도 H와의 역사를 수필로 남겼는데, 막상 당사자 H의 기록은 없음이 아쉬웠다. 그래서 H가 매일매일 작업하는 클레이 작품을 인스타그램에 올리기 시작했다. 하루하루 똑같지만, 정말 100% 똑같은 건 없는 것처럼 클레이 작품도 나름대로 H의 일기라 할 수 있지 않을까 싶어서였다. 별거 아닌 작품일 지라도 H에겐 소중한 것이고, 그런 게 바로 우리의 일상이자 삶 아니던가. J는 사진에 날짜와 간단한 제목을 붙였는데, 붙이다 보니 제목 짓기가 쉽지 않았다. 1년 365일 주제와 소재 모두 꾸러기 수비대이건만 어떻게 제목을 매일 다르게 짓는단 말인가. 작품이 무엇처럼 보이는지 매직 아이처럼 들여다보고, 한 쪽 눈을 감고 보고, 뒤집어 보고, 연상하고, 끼워 맞추기를 하다가, 결국 포기하고 그냥 되는 대로 붙였다. 주황색 작품에 〈낙엽〉이라고 지으면 그 작품은 낙엽이 되었고, 파란색 작품에 〈파도〉라고 지으면 파도가 되었다. 꽃이라 부르면 꽃이 되는 것처럼.

●

J는 대체 텍스트도 입력했다. 대체 텍스트란 시각장애인을 위한 이미지 설명 기능이다. 요즘은 배리어 프리 인식이 조금씩 생기고 있어 미술관에서도 그림이나 조형물 등에 대한 오디오 해설 의뢰가 종종 들어오곤 한다. 미술에 문외한이라 할지라도 알 만한 유명한 그림들을 시각장애인들은 알기 어려운 경우가 많다. 그림과 같은 이미지는

텍스트가 아니기 때문에 '보이스 오버' 기능으로 읽을 수 없는 경우가 대부분이기 때문이다. 그런 시각장애인을 위한 오디오 해설은 도슨트 프로그램이나 오디오 가이드와는 조금 다르다. 작품 해석 부분은 비슷할 수 있지만, 작품 묘사 부분이 훨씬 상세하달까. 그렇게 만들어진 미술작품 오디오 해설은 시각장애인뿐만 아니라 비시각장애인들에게도 반응이 좋았다고 관계자가 귀띔해준다. 오디오 해설이 있는 작품에 QR코드를 부착해놓으면 호기심 있는 사람은 QR코드를 찍어 해설을 듣곤 한다는데, 일반 오디오 가이드에 비해 이해하기 쉽고 작품 묘사가 있어 작품을 다시 보게 된다는 것이다. 그런 반응을 전해 듣자, J는 작품 묘사 때문에 쥐어뜯었던 머리가 다시 나는 기분이 들었다. 그림 해설은 열이면 열, 다 어려웠다. 미술 전공이 아니다 보니 작품 하나를 해설하기 위해 각종 보도 자료나 논문까지 찾아보는 건 기본이요, 허겁지겁 삼킨 배경지식을 바탕으로 구도나 색깔 하나하나를 표현하기 위해 단어 하나하나를 고심하게 된다. 그렇다고 '자주색에 가깝지만, 꽃분홍색에 하얀색을 살짝 섞은, 크림슨보다 밝은 색'이라고 설명할 수는 없지 않나. 필요하다면 해야겠지만. 시각장애인은 어차피 색을 볼 수 없지 않냐 물을 수 있겠지만, 선천적으로 전맹인 시각장애인은 14% 정도밖에 되지 않는다. 즉, 색에 대한 정보를 알고 있는 사람이 훨씬 많다는 것이다. 또한 설령 색에 무지하다 할지라도 그 느낌은 전달되기 마련 아닌가. 이중섭의 〈황소〉는 강렬한 붉은색을 배경으로 황소 머리를 화폭 가득 그린 작품이다. 황소의 눈과 주름, 코와 입 등은 굵고 거칠며, 과감한 선으로 표현되어 있고, 시원시원하면서도 굵직굵직한 붓질은 그 자체로 황소의 힘과 역동성을 느끼게 해준다. 황색 바탕에 고동색으로 강조된 황소의 눈이라든지, 벌어진 입 사이로 드러나는 붉은 혀와 하얀 이빨 등은 그 색에서 전해지는 느낌이 분명 있다. 하지만 미술작품은 보는 사람마다 다 다르게 느낄 수밖에 없다 보니 해설은 더더욱 어려울 수밖에 없고, 그럼에도 그 느낌을 조금이라도 전달하기 위해 애를 쓸 수밖에 없다. 난해한 추상화나, 봐도 모르겠는 조형물 같은 건 애를 쓴다고 될 문제는 아니긴 하다만…. 허나, 전시된 수십 개의 작품 중 일부만 오디오 해설을 하고, 나머진 애조차 쓰지 않을 때면 그저 홍보용·면피용인 것 같아 뒷맛이 씁쓸하기도 하다. 늘 장애인과 관련된 인식은 '그거라도 어디냐'는 감지덕지와 시혜의 수준에 머무르기 일쑤다. 그들이 타인이 버린 삶을 주워 먹고 사는 건 아닐 텐데 말이다.

오늘도 엄마는 H가 작업한 색색의 클레이를 J에게 보내주기 위해 사진 찍는다. H가 잘 찍으라고 옆에서 훈수를 두며 한마디 한다.

"엄마, 내가 만들면 엄마가 찍고, 우린 일석이조야."

일석이조가 그 뜻은 아닌 거 같은데, 하나로 둘이 각자의 소임을 다 했으니 어쨌든 H의 표현이 틀린 것 같지는 않다며 엄마가 흐뭇하게 웃는다. 그리고 그 말을 전해 들은 J는 오늘 H의 클레이 작품 제목을 〈일석이조〉로 정했다. 미술작품 해설도 일석이조가 될 날이 올 것이다. 아니, 와야만 한다.

나혜석의 <화령전 작약>은
화령전 담장 앞의 작약꽃밭을 그린 작품입니다.
세로로 약간 더 긴 화폭 중앙에는 담장과 빨간 대문이 자리하고 있고, 상단에는 화령전이, 하단에는 작약이 위치해 있습니다.

푸른 하늘과 하늘색 화령전 기와지붕은 빨간색 대문과 강렬한 색채 대비를 이룹니다. 또한 진분홍색 작약은 꽃밭의 짙은 연두색과 녹색 이파리들로 인해, 그 색이 더욱 도드라집니다.

화령전의 기와는 단순하면서도 단정한데 반해,
하늘과 작약꽃밭은 거칠고 활달한 붓질을 그대로 살려,
바람의 속도감이 손에 잡힐 듯 합니다.

진분홍색부터 밝은 자주색, 꽃분홍색을 띠는 작약은
꽃잎을 한 장 한 장 묘사하기보다는 붓으로 뭉그러뜨리듯
표현하였습니다. 활짝 핀 작약들은 점점이 표현되어,
날아갈 것처럼 경쾌한 인상을 줍니다.

화령전 지붕 너머에 있는 나무 두 그루는 서로를 향해 살짝
기울어져 있고, 무성한 나뭇잎들이 바람에 흩날리는 것처럼
표현되어, 작품에 생기를 부여합니다.

미술작품 해설 中

제7화 장애인 연금

책상 앞에 앉아 작업을 하던 J가 문득 고개를 들었다. 열어놓은 창문을 통해 얼굴에 와 닿는 바람이 차다. 계절이 바뀌고 있다. 곧 겨울이 들이닥치겠지만, 끝내 물러가기도 할 것이다. 그러면 H의 연금 문제로 씨름한 지 꼬박 2년을 채우게 된다. 결코 짧지 않지만, 그렇다고 영원은 아닌 시간.

시작은 비장애인 형제 모임 '나는'에서 알게 된 정보로부터였다. H는 부모와 함께 살고 있기 때문에 장애인 연금이나 주거 급여 등을 받을 수 없을 거라 막연히 생각하고 있었다. 복지 제도는 늘 복잡했고, 자주 바뀌었으며, 정보를 찾아 실행에 옮기기에 부모는 나이 들어가고 있었다. 그럴수록 J가 나머지 가족들의 보호자가 될 계절도 조금씩 다가왔다. J는 일단 정보를 긁어모으기 시작했다. 복지 제도는 다양하게 존재했으나 정보는 산재해 있었고, 밑줄을 그어가며 읽어보아도 무슨 말인지 이해하기 어려웠다. 어쨌든 그중 장애인 연금을 신청하려고 한 것이 이 긴 계절의 시작이었다. 인터넷으로도 신청이 가능하기에 J가 끙끙대며 빈칸을 채워보았지만, 주민 센터에서 연락이 와 신청 자체가 보류되었다. H는 장애 등급을 재심사 받아야 하는 대상이기 때문이란다. '왜?'라는 생각이 들었지만, 일단 고개를 끄덕였다. 그리고 재심사를 위해 필요한 서류들을 검토하자, 일단은 심사용 진단서와 검사결과지, 진료 기록지를 제출해야 했다. 어떤 서류는 어디에 구비 되어 있고, 어떤 서류는 어디 가서 떼야 하고, 검사결과지의 검사는 어떤 검사인지, J는 미간을 한껏 찡그렸다. 초행길은 늘 혼이 빠지기 일쑤다. 하지만 찬찬히 지도를 보는 법부터 익혀가던 차에, 출발조차 불가능한 일이 벌어졌다. 문제는 검사결과지에 해당하는 '임상심리 평가보고서'였다.

H는 2014년과 2015년 두 번에 걸친 눈 수술 이후 병원에 대한 트라우마가 생겼다. 이전에도 당연히 병원을 좋아하진 않았지만, 수술 이후에는 병원의 ㅂ자도 꺼내지 못했고, ㅕ자도 방문하지 못했으며 ㅇ자도 검사가 불가했다. 눈 정기검진도 하지 못하고 있다는 말을 하면, 사람들은 그 트라우마가 어느 정도인지 짐작하기보다는, 그럼에도 불구하고 병원에 가야 하는 이유나 안 간다고 데려가지 않으면 안 되는 이유, 또는 이렇게 저렇게 해서 데리고 가면 되지 않

느냐 등에 대해 줄줄 읊어댔다. 그런 반응을 접하면 J는 즉시 설명하기를 포기하곤 한다. 귀찮고, 설명해봤자 모르고, 어차피 실행 당사자는 H의 가족이기 때문이다. 사람들은 대부분 설명을 원하지 않는다. 무얼 원하는지는… J가 알게 뭔가. 당신만 모르나, 나도 모른다.

임상심리평가는 한마디로 전반적인 지적 상태를 토대로 사회성을 살펴보는 평가라고 볼 수 있다. J가 알아본 바로, 방법은 간단했다. 물론 몇 분 안에 끝나는 검사가 아니라 적어도 1시간 이상 걸리는 검사였지만, 신경과나 정신과에 가서 의사를 만난 다음 임상심리검사를 받으면 됐다. 임상심리검사를 하는데 신체적 고통은 당연히 없다. 하지만 그래도 H는 그 검사가 불가능했다. 병원에 가야만 받을 수 있는 검사이기 때문이다. 그런데—오래되긴 했지만—H에게 96년도에 받은 임상심리평가 결과가 이미 있다는 걸 알게 되었다. 검사를 새로이 받아 등급을 다시 받는다 해서 H가 비장애인이 되거나, 중증이 경증이 될 가능성은 없었다. 또한 H는 장애인 등록을 성인이 되어서야 했다. 96년도에 받은 임상심리평가도 H가 나아질 거라는 희망을 15년 넘게 붙들고 있던 H의 엄마가 '군대 생활을 할 수 없겠구나' 싶어 마지못해 받고, 그 후에 받은 장애 등급이었다. 지적 장애 1급—등급제 폐지 전, 장애 등급은

1~6급으로 나누어져 있었고, 1급이 제일 중증이다—이라는 판정을 받고 H의 엄마는 한참을 울었다고 했다. 어미가 볼 땐 훨씬 똑똑한 아이라 생각되어 그 당시 의사에게 항의를 했단다. 그러자 의사는 급이 그리 문제가 되겠냐며, 군대 문제 때문이라면 오히려 다행인 거 아니냐고, 자신은 H가 보여주는 대로 평했다 대꾸했다. 어미 눈에 비치는 것과 어떤 정해진 틀로 평가를 받는다는 것이 같을 수 없음을 알기에 그 당시 눈물을 머금고 인정했건만, 그 상처뿐이었던 과정을 왜 또 거쳐야 되냐고 H의 엄마가 울분을 터뜨렸다. 재판정 대상에서 예외가 되는 경우도 있긴 하지만, H는 해당 되지 않았다. 이유는 알 수 없었다. 중증 발달장애인이 나이를 먹는다고 지적 능력이 월등히 나아질 것 같진 않은데, 발달 장애에 대한 이해가 있는지조차 J는 믿을 수 없었다.

어쨌든 길을 알려주지 않는 지도를 들고, 해결사 찾아 삼만리가 시작됐다. 주민 센터는 국민연금공단 이정표를 가리켰다. J가 국민연금공단 문의 글에 긴 글을 남기자, H가 살고 있는 지사 센터장에게서 직접 연락이 왔다. 상황을 들은 센터장은 진단서에 96년도 임상심리 평가보고서에 대한 내용과 함께 현재 상태가 어떤지, 또한 임상심리 평가가 불가하다는 내용을 꼭 기술하여 제출하라고 했다.

물론 장애 등급은 국민연금 장애심사센터에서 하는 것이기 때문에 그렇게 제출해도 통과되지 못할 수 있다는 말도 덧붙였다. J는 전화기에 대고 연신 감사하다고 고개를 숙이다 전화를 끊었다. 끊고 나서야, 국민연금공단이 병원 이정표를 가리켰을 뿐이라는 사실을 깨달았다. 이정표와 이정표 사이엔 길이 없는 이상한 지도였다.

H의 약을 타러 병원에 간 날, 담당 교수를 만났다. 누가 봐도 엄마가 아닌 J가 들어가자, 교수가 의아한 눈길로 쳐다봤다. H의 쌍둥이 동생이라고 소개를 하자마자, 교수는 고개를 끄덕이며 본론을 재촉했다. 그리고 J가 다음 문장을 끝맺음하기도 전에 목적을 알아차린 교수는 아니나 다를까, 96년도 임상심리평가 보고서로는 진단서를 써줄 수 없다고 딱 잘라 말했다. 그리고는 정신과에 오더를 넣어줄 수는 있지만, 대기자로 인해 두 달은 넘게 걸릴 테니 동네 아무 병원에 가서 받는 게 수월할 거라 했다. 그리 간단한 문제를 왜 바쁜 자기에게 가져온 거냐는 듯.

'왜냐니요, 설명했잖아요. 지도에는 방위표가 있어야 하는데, 방위표가 없다고요. 그래서 위쪽이 북쪽인가 해서 갔더니, 아래로 가라잖아요. 그래서 아래로 갔더니 여기는 아래가 아니라잖아요. 그럼 나는 대체 어디에 있는 거냐고 물으니

까 지도를 잘 보라면서요. 보니까 '자리 비움'인데요?'

…라고 말할 수 없었던 J는 고장 난 나침반을 들고, 그러면 어떻게든 임상심리검사를 해보자고 방향을 틀었다. 걸어서 갈 수 있는 동네 병원까지는 H를 어떻게 속이든, 구슬리든 데려가 볼 수 있지 않을까 싶어서 동네 병원에 임상심리검사를 의뢰했다. 그랬더니 의사 진료, 검사, 결과 듣기, 이렇게 세 번은 방문해야 한단다. 가위바위보를 하는 것도 아닌데 삼세판이라니. 사정을 설명하고, 진료 및 검사를 한 날에 해주면 안 되냐 했더니 딱 잘라 안 된단다. 검사결과를 듣는 방문은 J와 H의 엄마만 가면 안 되냐는 질문은 꺼내지도 못했다. 당사자를 병원에 데려가는 것이 너무 어려워 그 횟수를 줄이는 방법에 대한 부탁이 그토록 진상 환자 취급받을 일인지, J는 몰랐다. 그럼 방향이라도 알려 달라고 사정을 하자, 구마다 있는 정신 보건 센터 연락처를 하나 불러준다. 심호흡을 하고 전화를 걸어, 임상심리 평가를 병원에 방문하여 받는 방법 말고 다른 방법이 있는지에 대해 물었다. 모른단다. 그렇다면 관련 정보를 알 수 있는 곳이 어딘지 물었다. 모른단다. J는 '무얼 모르는 건지 알고는 있는 거냐'고 물을까 하다 말았다.

J는 발밑을 내려다보았다. 처음, 그 자리였다. J는 지

도를 갈기갈기 찢어버리려다가, 꾹 참고 국민연금 지사 센터장과 다시 통화를 했다. 공단 측에서 직접 나와 임상심리평가를 해줄 순 없는지 물었더니, 그럴 수는 없단다. 그렇다면 혹시 임상심리검사를 자택으로 출장 와서 해줄 수 있는 곳을 아는지 물었더니, 모른단다. 그럼 난 어디로 가야 하냐고 물으면, 지도를 보라 그러겠지. 그래서 지도에 방위표가 나와 있지 않다고 처. 음. 부. 터. 차. 근. 차. 근. 또. 다. 시. 설명을 하면, '저런…, 지도를 따라 가보세요' 라고 대답해줄 것이다. 왜냐하면 이건 '벌'이니까. 감히 집 밖으로 나오려 하는, 세상에 존재를 드러낸 장애인에 대한 형벌.

6개월이 지난 후였다. J는 일단 임상심리평가지를 누락하고 장애인 연금 신청을 재접수 한 다음, 반려되었다는 기록이라도 남겨놓는 게 좋을까 고민했다. 이게 6개월이나 걸릴 일인가 싶지만, 전화 한 통, 문의 하나를 연달아 할 수 없었다. 고작 전화 한 통, 문의 하나에 J는 전심을 다 해야 했으니 기력이 바닥났고, 기력을 회복하여 다시 시작하려면 최소 일주일 이상의 시간이 걸렸기 때문이다. J는 자포자기하는 마음으로 주저앉아, 마지막으로 북을 울렸다. 백성들의 억울한 일을 해결하여 줄 목적으로 대궐 밖에 달았다는 북. 재검사를 꼭 받아야 하는지, 재검사가 어려운 지적 장애인은 어떻게 해야 할지, 재검사를 받을 수 있는 다른 방법이나 연결 고리를 알려달라는 호소에 한 달이 넘어서야 짧은 메아리가 돌아왔다.

'불편함이 있으시겠지만 국고로 지원하는 급여를 장애 정도에 맞게 꼭 필요한 분께 지원하기 위한 절차이니 양해하여 주시기 바랍니다. 장애 정도 재심사는 관할 국민연금공단에서 진행하며, 상세사항은 해당 국민연금공단에 문의하여 주시기 바랍니다.'

이런 식이다. '불편한 건 감내해야지, 세금을 축내는 존재 주제에 하라는 대로 안 해? 제발 우리한테만 오지 마.' 소수자는 '우리' 안에 들어가지 못한다. 짐승 '우리'에 가둬놓을 뿐. 절차와 기준이 그리 까다로우니 장애인 연금으로 돈 백은 나오는 줄 알았지만, 그저 최저 중에 최저 생계비도 되지 않는 금액으로 최소한의 야만을 방지할 수 있는 정도였다. 하지만 이 사회는 그러한 사회 기초 보장제도라도 받고 싶으면 굴욕감 따위는 극복하라 윽박지른다. 악이용하는 인간이 있기 때문이라는데, 그런 인간을 걸러내기 위한 장치는 아무리 까다롭게 만든다 해도 완벽하게 걸러내기란 불가능하다. 그런데 일부 그런 인간 때문에 나머지 실제

당사자들이 지레 포기하고, 굴욕감을 느끼고, 여러 번 헛수고를 하고, 불필요한 여러 단계에 비용이 들어가는 게 맞는 걸까. 장애 등급제가 폐지되고 부양의무제도 폐지되었다지만, 단어 없는 등급은 여전히 유효하고, 부양 의무 없는 H의 가족은 이리저리 발만 동동 구르다 복장이 터지고 만다.

●

J의 복장이 터질 무렵, EIDF EBS 국제 다큐 영화제 시즌이 돌아왔다. 제목만 보고 작품을 골라야 하는 상황에서 〈울림의 탄생〉이라는 다큐멘터리의 줄거리를 훑어보자, 때마침(?) 북을 만드는 장인이 나온단다. '신문고도 울렸는데, 다른 북은 못 울릴까. 북소리는 귀로 들으면 되니까 해설이 많지 않겠지' J는 잔머리를 굴려 선택했다. 그런데 맙소사, 북소리가 들리기는커녕 장인이 북을 '말없이' 만드는 내용이었다. 대북 만드는 과정을 쓰는 동안, 해설 양이 너무 많아 J는 목소리가 갈라지고 쉬어버렸다. 장인의 대사보다 화면해설이 몇 배는 많았다. 해설 대본의 어떤 페이지는 대사 한 줄에 나머지는 모두 해설이었다. 장인은 북을 만들며 이거는 뭐고, 저거는 뭐며, 이거는 이렇게 저렇게 해서 만든다는 일체의 설명

없이 묵묵히 북을 만들고, 또 만들었다. J로서는 생전 처음 보는 북 만드는 과정이라 용어도 모르고, 용어를 겨우 알아낸다 하더라도 어떻게 설명해야 할지 난감했다. 아니, 보고 있어도 모르겠는데 설명 자체가 가능한 걸까? 다큐멘터리 안에서 계절이 바뀌는 동안, 장인은 사람 키를 훌쩍 넘는 크기의 대북을 만들었다. 대체 저 고생과 노력과 정성을 다해서 만든 북은 어디서, 어떤 소리를 내게 될까. 신문고도 저런 북이었을까? 신문고를 만든 장인은 어떤 마음이었을까.

그 북은 평창 패럴림픽 개막식에서 울려 퍼졌다. 대부분의 사람들은 저 북이 어떻게 만들어졌고, 어떤 마음으로 만들어졌는지 모르겠지만, 현장 소음에 묻혀 제대로 듣지 못한 사람도 많았겠지만, 그래도 북은 울었다. 후원사 이름들로 빼곡한 개막식 팸플릿 어디에도 장인의 이름은 적혀 있지 않았지만, 장인은 관객 사이에 꼿꼿하게 서서 울림의 탄생을 보고 들었다. J도 자판 위에서 춤을 추던 손가락을 멈추고, 그 소리를 함께 들었다. 북소리는 귀로, 피부로, 심장으로 스며들어왔다. 둥- 두웅- 두둥- 작은 북부터 큰 북까지 수많은 북이 장인의 손을 거쳐 탄생했지만, 그 울림은 모두 달랐다. 그 울림을 들을 수 있어서 다행이라고, J는 생각했다.

●

하지만 다양한 북의 노래와는 다르게, 장애에 대한 제도는 저마다의 복장을 터지게 한다. 아무리 질문을 세세히 한다 해도 인간이 100명이면 100명 모두 다르고, 그에 따라 상황이나 여건도 다르다. 밥은 할 수 있는지 묻는 것보다 필요한 도움이 무엇인지 묻고, 맞춤으로 이루어져야 하는 것이 복지다. 예를 들어, 장애인 활동 보조 서비스는 옷 갈아입기라든가, 누운 상태에서 자리 바꾸기, 식사하기, 배변/배뇨, 청소, 빨래 등 지체 장애인 위주의 조사표로 이루어져 있다. 그래서 활동 지원 역시 신체 수발이라든가, 식사 준비, 목욕, 이동/통학 등이 중심이다. 그렇다면, 등이 앞으로 오긴 하지만 옷을 입을 줄 알고, 독립하여 살 수 없어 부모와 함께 살며, 청소, 빨래 등의 집안일은 엄마가 해주는 H는 어떤 도움을 받을 수 있을까. 김치를 전자레인지에 돌리기는 하지만 밥을 차려 먹을 수 있고, 깨끗이는 아니지만 대충 씻을 줄 알며, 학교나 직장을 다니지 않아 규칙적으로 이동할 일이 없는 H가 받을 수 있는 도움을 점수와 시간으로 환산하면 한 달에 몇 시간일까. 하늘이 무너져도 매일 올라야 하는 뒷동산을 칠순이 넘은 H의 엄마가 언제까지 동행할 수 있을까. 그 산행에 활동 보조가 필요하다고 하면, 과연 받아들여질까? 게다가 그 난이도가 개를 산책시키는 것보다 몇 배는 어렵다고 하면, 활동 보조인이 금방 그만두지는 않을까? 결국, 질문 항목을 아무리 세세하게 늘린다 해도 욕구를 충족시킬 수 없는 사각지대가 발생하고 만다. 그러니, 당사자가 필요로 하는 도움이 무엇인지 묻는 게 훨씬 효과적이지 않을까. 제도는 사람을 위해 만들어진 것이지, 사람을 제도에 욱여넣기 위해 존재하는 것은 아니지 않나.

'H는 늘 세상에 맞춰왔다. 그러니 한 번쯤은 세상이 H에게 맞춰줘도 되지 않을까.'

…라는 내용의 인터뷰를 J는 '나는'에서 한 적이 있다. 부모의 사후에 대한 걱정이나 장애인 연금에 대한 이야기를 나누던 차였다. J의 연금 해결 삼만리 여정 중 하나였달까. 그러자 사회복지사로 일하고 있는 '나는' 모임의 다른 비장애인 형제가 인터뷰를 보고 몇 가지 방법을 제안해주었다. 두세 군데의 종합복지관이나 발달장애인 평생교육 지원센터 등에서 보호자가 없는 장애인을 대상으로 사회복지사가 근처 병원과 연계하여 아름아름 진단서를 작성해준 적이 있으니 알아보라 했지만, 현재는 아예 법적으

로 불가했다.

고작 월 3~40만 원 정도가 될 연금을 받기 위해 10개월 동안 이렇게까지 마음고생을 할 일인가, '차라리 내가 20만 원을 더 벌겠다'라고 J가 마음먹었을 때 즈음이었다. 우편물 하나가 날아왔다. '장애인 건강 주치의' 제도에 대한 안내문이었다. 홈닥터처럼 가정 방문을 하여 간단한 진료를 보면서 건강을 관리하는 제도로, 지속적인 관리가 필요한 지병이 있거나, 단순 질병 치료 같은 경우에는 효과적일 수도 있을 것 같았다. J는 서울에 있는 모든 해당 병원을 찾아서 진료 과목을 확인했다. 정신과나 신경과가 있는 병원들은 꽤 추려냈으나, 출장 가능 여부 항목에는 모두 X가 되어 있었다. 심리 상담을 하러 내원할 수 없는 경우가 있을 거라고 상상하지는 못하는 걸까, 안 하는 걸까. J는 100군데가 넘는 병원을 일일이 클릭하며 확인하다가, 거의 끝에 가서야 딱 한 군데 'O' 표시가 되어 있는 의원을 찾아냈다. J는 뛸 듯이 기뻐할까 하다가 말았다. 기대보다는 체념이 익숙했으니까. 그렇게 체념 섞인 일말의 기대는 또다시 전화 문의와 이메일 문의로 이어졌는데, 그때까지 아무도 제대로 설명해주지 않았던 사실을 새롭게 알게 되었다. 의사는 임상심리평가를 토대로 진단서를 작성하는 것이고, 진단서 역시 환자를 6개월 이상 진료를 보며 지켜봐야 작성할 수 있으며, 임상심리평가는 의사가 오더를 내리면 임상심리사 선생님이 따로 진행해 주는 것이라는 점이었다. 첫 번째 허들을 넘는 방법을 주구장창 찾아다녔는데, 그 허들을 넘기 전에 1,500미터를 뛰고 와야 한다는 규칙을 그제야 들은 것 같았다. 게다가 'O' 표시가 되어 있긴 하지만 실제로는 출장을 나가지 않고, H는 해당 구에 사는 주민이 아니기 때문에 장애인 주치의 관련 대상도 아니라는 답변을 들었다. J가 실은 자존심이 강하든 약하든, 이럴 때 할 수 있는 거라곤 고개 숙이는 것뿐이었다. J는 또다시 굽신거리며 그 의원에 방문하는 임상심리사 선생님께 출장을 부탁드릴 수는 없는 것인지, 아니면 하다못해 그런 것이 가능한 곳에 대한 정보를 알려주실 수는 없는지 물었다. 직원은 난처해 하며 '물어는 보겠다'는 의례적인 답을 하고, 전화를 끊었다.

당연히 거절이라 생각한 J는 새로 알게 된 사실을 바탕으로 한국 임상심리학회 홈페이지에 들어가 서울에 있는 임상심리 전문가를 검색했다. 그리고 이메일이 기재되어 있는 임상심리사를 일일이 찾아, 명단을 작성했다. 그리고 너무 길어서도 안되지만, 한 명이라도 마음을 움직이게 할 수 있는 호소문을 쓰기 위해 그동안 썼던 글들을 훑었다. '안녕하세요, 장애인 연금 신청자 H는 지적 장애 1급으로서 현재 OO세이고, 글 작성자는 H의 여동생 J라고 합니다.', '안녕하세요, 저는 내담자 H의 쌍둥이 여동생 J라고 합니다.', '안녕하세요, 저는 민원인 H의 동생 J라고 합니다.', '안녕하세요, 저는 OO세 지적 장애인 H의 여동생 J라고 합니다.' 이번엔 뭐라고 J 자신을 소개하면 될까. '안녕하세요' 글자 옆에서 깜빡거리는 커서를 한참 바라보며, 안녕하지 못한 며칠이 흘렀다. 의원에서 예상치 못한 연락이 왔다. 얼떨떨해하는 J에게 정신의학과 전문의는 '약속과 확답은 드릴 수 없어 죄송하지만, 일단 한 번 방문을 해보겠다'고 했고, 그 말을 들은 J는 그대로 주저앉아 이마가 바닥에 닿도록 고개를 숙인 채, 울음을 삼켰다.

"안 돼도 상관없어요, 선생님. 저희 가족의 말을 들어준 게 선생님이 처음이거든요."

상담 선생님의 첫 방문 날, H의 꾸러기 수비대 이야기 때문이었을까, 아니면 H의 엄마와 J가 쓴 책을 건넸기 때문일까. 이미 마음을 먹고 왔을 가능성이 크긴 하지만, 어쨌든 선생님은 결국 한번 해보자고 했다. 그리고 우선 근처 협력 병원이나 복지관과 같은 장소에서 임상심리검사를 할 수 있을지 물색해 보았지만, H가 코로나 백신을 접종하지 못해 어디든 출입이 불가하였다. 또한 코로나 확진자가 급증하던 시기라 임상심리사의 출장도 여의치 않았다. 그래서 일단은 선생님이 한 달에 한 번, H와 H의 엄마가 매일 오르는 뒷산에 함께 오르기로 했다. 처음 만났던 날, 선생님이 상담에 필요한 기본적인 질문을 던져보았지만, 그런 방식의 상담은 불가했기 때문이다. '최근에 우울한 감정이 든 적이 있냐'는 질문에 H는 J를 쳐다봤다. '이 사람이 지금 뭐래니?'라는 눈빛으로. 그럼에도 선생님은 H의 이름에 꼬박꼬박 '님'을 붙여가며 진료인지 등반인지, 등반인지 상담인지를 해나갔다. 의사 선생님이라는 사실은 비밀로 하고, 연금을 받기 위한 절차라는 식으로 뭉뚱그려 H에게 설명했지만, H는 쉽게 의심을 버리지 않았다. 그럴 때의 H는 정말 기민하여, J는 거짓말 시나리오를 좀 더 촘촘히 짜야 했다. 그래 봤자 설득이 되진 않겠지만…. 또한 나이가 자신보다 어리면 무시할 게 분명한 데다가, H가 조금이나마 친근감을 느낄 수 있도록 선생님을 '형'이라 지칭하게 했지만, H가 좋아하는 형의 유형은 아닌지, H는 선생님에게 무관심했다. 하지만 '형'을 그다지 반기지 않으면서도, H는 매번 형에게 줄 여의봉을 챙겼다.

그렇게 또 반년이 흘렀다. 그 사이 J와 H의 엄마는 보호자 자격으로 의원에 방문하여 임상심리사를 만나, H

에 대한 사전 질의응답을 했다. 질문지는 활동 보조 서비스 조사표와 비슷한 부분이 있어, J가 보는 H와 세상이 보는 H는 완연히 다른 사람이었다. 임상심리사는 여성 분이셨는데, 융통성과 경험 많음을 느낄 수 있어 J는 속으로 안도의 한숨을 내쉬었다. 그로부터 한 달 후, 백신을 맞지 못한 H와 엄마 때문에 강박적으로 조심하던 코로나에 결국 H의 가족이 걸리고 말았다. 비상사태가 벌어지긴 했지만 차치하고, '차라리 잘 되었다' 하며 완치 후에 임상심리검사 디데이가 잡혔다. 그날은 J도 출동하여, 상담 선생님과 함께 오전에 뒷산에 올랐다. H에게는 검사 일정을 미리 고지하지 않았기에, 잠시 쉬어가는 자리에서 슬쩍 말을 꺼냈다. 병원의 ㅂ자도 꺼내지 않았고, 나라에서 주는 월급—연금은 어느새 월급으로 격상되어 있었다—과 관련된 간단한 질문을 할 뿐이며, 절대 수상한 게 아니라는 점을 J는 어필했지만, 어디서 이상한 낌새를 느낀 걸까, H는 무조건 싫다고 고개를 저었다. 이럴 땐 설득보다는 화제 전환이 나았다. J는 상담 선생님이 오늘은 점심을 함께 먹고 가실 예정이니, 점심에 무엇을 시켜 먹으면 좋을지 물었다. 심증은 있지만 물증은 없어서일까, H는 불편해진 심기로 '돈까스'라고 대답했다.

임상심리검사는 '돈까스'보다 못한 수준으로 이루어졌다.

집에 방문한 임상심리 선생님과 1시간 넘게 이어진 검사에는 H의 엄마 대신 J가 H와 함께 방으로 들어가 진행됐다. H의 엄마와 상담 선생님이 계신 거실에서는 꾸러기 수비대 이야기 말고는 H가 입을 딱 다물어버렸기 때문이다. H는 비협조적인 태도로 계속 하품을 했다. 겸연쩍거나 긴장을 할 때면 나타나는 H의 버릇이었다. J가 열심히 H가 알아들을 수 있게 질문을 풀어주거나 힌트를 줘봤지만, H가 유일하게 망설이지 않고 대답을 한 질문은 '한글을 만든 사람은?'뿐이었다. 심지어 '블록 만들기'는 하지 않겠다고 손으로 밀어버리며, 분명히 거절까지 했다. 도형 따라 그리기 역시 마찬가지였다. 시력 문제 때문인지, 긴장한 탓인지는 H만 알 것이다. H는 꾸러기 수비대 얘기를 할 때조차 경직된 모습을 보였고, 막상 질문에 대한 답을 거의 하지 못하자 J의 속은 문드러졌다. 상담 선생님이 검사 형식과 검사지 질문에 한계가 있고, 그 기준으로만 판단하는 것이 아쉽지만 장애 등급을 받기 위함이니 너무 마음 상해하지 말라는 위로를 전했다. 나중에 검사결과와 진단서를 받아보니, 25년 전에 받았던 검사 때는 H가 6살 정도의 지능이었다면 이번엔 7살 정도라는 결과가 나왔다. J는 25년 동안 겨우 한 살 먹은 H를 얄밉게 쳐다봤다. 저 녀석이 얼마나 오리너구리 같은데, 그 사실을 검사로는 알 수 없다니.

1년 반의 여정이었다. 인간승리의 결과로, H의 약을 타러 가는 날 J는 임상심리평가지와 소견서를 들고 담당 교수를 다시 만났다. 교수는 평가서의 지능 수치만 확인하고 30초도 안 되어 진단서를 써줄 테니 기다렸다가 받아 가라 했다. 물론 이 임상심리평가를 받기 위해 1년 반 동안 어떤 고생을 했는지 하소연할 생각은 없었지만, J는 무언가 억울하고 북받쳐서 진료실을 나오자마자 왈칵 눈물을 터뜨렸다. 이러다 실제로 연금이 입금되는 날에는 대성통곡을 할지도 모르겠다고 훌쩍거리며, J는 봉투에 봉해진 지적 장애 진단서를 받아들었다. 마침내, 끝끝내, 결국, 기어이, 드디어, 종내, 필경, H의 장애인 연금을 신청하기 위한 등급 재심사 서류가 구비 되었고, 또 하루 날을 잡아 J는 본가 주민 센터를 방문하여 제출하였다.

'그리하여 등급을 다시 받게 된 H는 불가능하리라 여겼던 장애인 연금을 받을 수 있게 되었다'

…로 글을 마무리하면 참 좋겠지만, 현실은 늘 지지부진하고 상상 그 이상인 법이다. 정권이 바뀐 뒤, 사회보장정보 시스템 개편이 이루어졌는데 시스템 오류 때문에 기초

수급도 제대로 이루어지지 못하는 나날이 이어지고 있고, 한 달이면 나온다는 심사 결과는 몇 달이 지나도록 감감무소식이다. 내라는 서류는 다 냈지만 혹여나 판정 보류나 문제가 생기진 않을지, J는 여전히 노심초사한다. 그밖에 기초 수급이나 주거 급여 등등의 복지 제도에 대해서도 알아봐야 할 것들이 남아 있었지만, J는 일단 대본 작업을 하던 내내 열어놓았던 창문을 닫았다. 계절이 바뀌고 있었다. 곧 겨울이 들이닥치겠지만, 끝내 물러가기도 할 것이다.

(원형 철테 보이면) **장인은 굴렁쇠 같은 원형 철테에 맞춰 나무 쪽판을 둥글게 세우고, 빈틈없이 밀착되도록 망치를 두드린다.**

(조각도 갈 때) **장인은 둥근 조각도와 같은 도구를 갈아, 빠르게 회전하는 북통의 겉면에 대고, 매끄럽게 다듬는다. 장인의 주변으로 톱밥이 꽃잎처럼 휘날리면서, 바닥에 눈처럼 쌓여간다.**

(신발 C.U에서 다음 컷) **북통 겉면이 매끄러워지고, 톱밥의 크기가 가루처럼 작아진다.**

(풀칠) **풀칠을 한 북통 겉면에/ 흰 무명천이 덧대어진다.**

(가죽) **장인은 통으로 된 소가죽을 펼치고, 가위로 자른다.**

(대패질) **그리고 가죽 겉면을 대패로 밀어 다듬은 다음,**
북통에 씌우고 펜치로 잡아당기며, 못을 박아 고정시킨다.

(얼굴 C.U) **임선빈 장인의 머리카락은 희끗희끗하고,**
수염은 깎지 않았으며 주름은 선명한 가운데,
눈빛은 형형하다.

임선빈 저는 한 가지의 소리를 찾기 위해서 여직까지 북을 만들고 있어요.

다큐멘터리 <울림의 탄생> 화면해설 대본 中

제8화 받아치기

(은이 공 때리고) **팽팽한 랠리.**

황보 그래~ 이게 테니스다.

은이의 공이 네트에 걸린다.

이이경 아~ 아까비.
심판 Three, Zero, 홍수아.

(은이 후~ 숨 쉬고) **은이는 숨을 크게 내쉬고,**
형택은 걱정스러운 표정으로 은이를 지켜본다.
(수아 공 때리고) **수아의 서브.**

이이경 어, 좋아.
황보 나이스.

(수아 공 때리고) **백핸드로 때린 수아의 공이 높이 뜨고,**
은이도 백핸드로 맞받아치지만, 네트에 걸린다.

예능 <내일은 위닝샷> 화면해설 대본 中

방에서 팔굽혀 펴기를 하던 J가 앞으로 고꾸라졌다. 손목에 힘이 들어가지 않았다. 손목이 꺾이는 운동은 하지 않는 게 좋을 것 같다는 생각에, 그렇다면 손을 사용하는 인간이 손목을 사용하지 않는 운동엔 어떤 게 있는지 떠올려보았다. '달리기나 축구…?' J는 상상만 해도 골이 흔들리는 느낌이 들어 한숨을 쉰 다음, 손목 스트레칭을 하고 파스를 붙이고 모니터 앞에 앉았다. 한 화면해설 작가의 자조 섞인 농담이 떠올랐다. '신발은 쇼핑을 할 일이 없는데, 왜냐하면 나갈 일이 없어서….' 그게 웃을 일이 아니었다는 실감은 J가 화면해설 작가가 된 지 반년도 되지 않아서였다. 방송국들이 기본 일주일 단위로 프로그램을 반복하는 것처럼 화면해설 방송 제작도 일주일 단위로 이루어진다. 그 말인즉슨 매주, 거의 매일 마감이 있다는 의미로, 일주일에 쓰는 대본 양이 A4 100장을 훌쩍 넘어간다는 뜻이기도 하다. 특히 예능 프로그램 같은 경우에는 정해진 대본이 없어 일일이 대화를 듣고 받아쳐야 한다. 그러면 '왜 받아치냐', '다 받아쳐야 되냐'는 질문을 꼭 듣게 되는데, 성우가 녹음을 하려면 화면해설이 들어가야 할 타이밍을 알아야 하고, 그 부분을 알려면 최소한 영상 몇 분 몇 초에 누가 어떤 말을 한 다음인지를 적어주어야 알 수 있기 때문이다. 그렇다고 해서 영상 전체에 나오는 모든 말을 받아치진 않는다. 해설이 들어가기 직전 한 5초 정도 되는 대사를 받아치고, 해설 문장이 들어가고 난 다음 이어지는 말 몇 마디를 적어주면 된다. 그리고 해설 양이 어느 정도인지는 프로그램마다, 같은 프로그램도 그 회차마다 다르다. 진득하게 앉아 토크 쇼를 하는 거면 지금 말하고 있는 이의 이름이나 옷차림, 자료화면 등을 간단하게 해설해주면 되겠지만, 〈런닝맨〉과 같은 예능 프로그램은 말 그대로 뛰어다니면서 게임을 한다. 족구라도 한 번 한다 치면 들리는 소리라고는 '간다! 받아! 옳지! 안 돼! 그래! 아냐! 이쪽으로! 저쪽으로!' 등등 뿐이다. 〈내일은 위닝샷〉은 테니스를 다룬 예능인데, 공이 왔다갔다 하는 속도가 탁구와 비교하면 현저히 느리지만, 그렇다고 누가 코트 어느 부분에 공을 꽂아 넣는지 자세히 설명할 틈은 부족하다. 다양한 구기 종목의 모든 공들은 가만히 있지 않는다. 화면에서 움직이는 공을 따라 눈이 움직이고, 피로가 몰려온다. 게다가 마감 일정이 촉박한 프로그램이라면 밤을 샐 수밖에 없다. 제일 빡빡한 경우가 사전 제작을 하지 않는 드라마인데, 본방이 전날 밤에 끝났음에도 다음날 오전에 녹음을 해야 하는 경우도 있다. 당연히 밤을 꼴딱 새도 시간이 부족하여 드라마 작가가 어쩔 수 없이 쪽대본을 날리듯 화면해설 작가도 쪽대본을 날려야 하는 경우가 생기곤 한다. 매번 그런 건 아니라 할지라도, 수목드라마의 재방송이 토요일에 나가야 한다면 화면해설을 녹음하고 편집한 영상을 금요일까지는 방송사에 넘겨야 하기 때문에 그러한 일이 발생할 수밖에 없다. 대본이나 영상을 본방 전에 미리 주면 좋으련만, 유출 위험 등의 핑계로 주지 않는 방송사가 대부분이다. 화면해설 작가는 그 방송 프로그램의 후반 작업을 맡는 사람 중 한 명이라 생각하지 않아서일까? 바쁜 일정에 쫓기는 건 성우 역시 마찬가지라, 영상이나 원고를 미리 검토하지도 못한 채 바로 녹음을 들어간다. 밤샘 작업을 한 번 하고 나면 일주일 생활 리듬이 무너져 엉망이 되기 때문에 J는 되도록 밤샘 작업은 하지 않으려고 마음을 굳게 먹었지만, 그 역시 공휴일이 껴 있거나 하면 마감 일정이 그에 따라 조정되면서 언제든지 발생할 수 있다. 힘들지 않은 직업이 어디 있겠냐만.

●

"힘들어~!!"
"엄마~ 부탁하는데, '미안해요', '힘들어' 좀 하지 마."

뒷동산을 오르내리며 만나는 사람들에게 H가 피해를 주는 듯 싶으면 엄마가 대신 미안함을 전하곤 하는데, 계단 길을 오르다 "아고~ 힘들어~!!"라고 절로 나온 엄마의 소리가 H는 듣기 싫었던 모양이다.

"엄마는 할머니니까 힘들지."

"할머니 아냐."

"할머니가 아니긴. 넌 마흔 살이 넘었잖아, 그럼 엄마 몇 살이야?"

"25살."

졸지에 H와 J의 막냇동생이 된 엄마가 깔깔 웃는다. 그럼 이제 엄마라고 부르지 말고 동생이라 부르라니까 H는 뜬금없이 사는 게 허무하다고 툴툴대며 말꼬리를 돌린다. 저런 말은 또 어디서 듣고 내뱉는 건지…. H는 종종 시의적절하게 깜짝 놀랄만한 말을 하곤 하는데, 자신의 몸에 대한 표현은 아끼다 못해 지극히 박하다. 분명히 아프거나 불편한 느낌 등이 있을 텐데, 병원에 가는 것을 극도로 두려워하고 거부하는지라 더욱 표현하지 않는 듯하다. 청소년기에 뇌전증이 시작됐다는 이의 글을 우연히 보았을 때, J는 치료를 위해 복용해야 하는 약의 부작용과 발작 당시의 느낌 등을 읽으며 그만 아득해진 적이 있다. H에게는 한 번도 들을 수 없었던 감각과 공감할 수 없었던 불편함들.

전신 및 신경계, 정신계, 위장관 장애가 매우 흔하게… 이상 반응으로 무력증, 피로, 졸음, 기억상실, 경련, 어지러움, 두통, 주의력 장애, 우울, 감정적 불안정성, 인격 장애, 비정상적 사고, 불면, 적개심/공격성, 신경과민/과민성 장애… 복통, 설사, 식욕부진, 흐린 시력, 근육통, 기침, 발진, 혈소판 감소증까지…

J의 머리가 공처럼 빙글빙글 돌고 돈다.

'그래, 수십 년에 걸쳐 먹고 있는 저 약이 순하디 순한 약일 리가 없잖아. 혹시 그게 눈에 영향을 준 건 아닐까? 지금 한쪽 눈은 보이지 않는데, 그에 따른 다른 쪽 눈의 부담이라든가 피로도, 다른 문제는 없는 걸까? 물어봤자 자신은 아무 문제 없다고 말할 게 뻔한 H의 치아는 괜찮은가? 양치를 제대로 못 해서 썩은 이가 있을 텐데 어쩌지? 지금은 그럭저럭 괜찮다 할지라도 나이들 수록 분명 아플 일이 생길 텐데, 그럴 땐 어떻게 하지? 눈에 다시 이상이 생기면 어떡하지? 또 수술해야 한다고 하면? 부모님이 돌아가신 다음에는? 엄마가 도와주고 있는 목욕이나 용변 처리 등은?'

J의 걱정과 두려움이 꼬리에 꼬리를 물고 이어진다. 활동 보조 지원은 대부분 지체 장애 즉, 신체가 불편한 장애인 위주로 돌아가기 때문에 만 40세 이상의 중장년 발달장애인인 H는 본의 아니게 사각지대에 있는 셈이다. 이 이야기를 들은 J의 지인은 화를 냈지만, J는 습관처럼 이해부터 했다. 병원을 싫어하는 것도 H의 죄고, 병원을 가면 난리를 치며 거부하는 것도 H의 죄고, 코로나 백신을 못 맞은 것도 H의 죄고, 그 모든 상황들을 세상에 이해시키지 못하는 것도 H의 죄니까. 어쩌면 태어난 것조차 죄일지도 모른다. J는 통증이 가시지 않는 손목을 찜질하며 '병원에 가봐야 되나, 간다면 어느 과를 가야 되나' 중얼거리다 진료실에 들어가지 않고 줄행랑치며 소리 지르던 H를 떠올렸다.

"냅둬!! 이렇게 살다 죽을 거야!!"

저 대사는 어디서 들은 풍월일까. 아무래도 아침 드라

마를 못 보게 해야 되는 건 아닐까. 다음부턴 '죽을 때 죽더라도 곱게 죽어야지!'란 말로 설득해볼까. 하지만 일단 J부터도 손목과 허리가 아파 죽을 때 죽더라도 마감은 해야 한다. J는 인물의 이름이나 정보, 관계도, 프로그램 관련 단어 등을 메모해둔 종이들을 뒤적거리다가, 문득 H의 자폐스펙트럼장애 검사결과지를 꺼내보았다.

> 지적 장애, 중도. IQ 40. 자폐 수준을 알아본 결과 자폐증 평정 척도는 총점이 31점으로, 경도에서 중증도 수준의 자폐에 해당하는 증상들을 지니고 있다. 이로 인하여 현재 수검자의 일상생활을 영위하기 위해서는 보호자의 지속적인 도움이 필요할 것으로 보인다. 수검자는 낯선 타인에 대한 거부감이 크고 시선을 맞추지 못한다. 초기에 모방이 가능했다고 보고되며, 현재 부적절한 정서 반응이 두드러지는데 주변에서 맥락을 알 수 없이 화를 내거나 쉽게 흥분하고 공격적인 행동을 보일까 주의를 해야 하며, 그 외 슬픔, 상실감과 같은 복잡한 감정을 표현하는 것은 제한적이라고 보고된다. 변화에 대한 저항이 상당한 수준으로, 하루 일과가 시간별로 정확히 설정되어 있고 벗어날 경우 용납하기

어려워한다. 사물을 순서대로 정해진 자리에 놓는 등의 행동도 나타난다. 청각 자극에 예민하며 통증에 둔감하고 연령에 적합하지 않은 불안, 공포 반응을 나타내기도 한다. 의사소통 능력도 지체되어 있는데 주로 자신의 관심사와 관련해 말하려 하며 타인의 목소리를 모방해 맥락 없이 발화하기도 한다. 이에 전반적으로 경도에서 중증도 수준의 자폐에 해당하는 것으로 추정된다.

처음 결과지를 받아들고, H가 자폐적 성향이 있긴 하지만, 자폐는 아니라고 평생을 생각해왔던 J에게는 충격이었다. 새삼 중요할 것도, 충격받을 일도 아니라 생각하면서도, 의학적 관점에서 쓰인 H에 대한 내용을 읽다 보니 온통 결함투성이에, 위험인물 같아 보였다. J에게 H는 그저 '오리너구리 같은 녀석'일 뿐인데도. 입술이 두툼하고 튀어나온 데다가 종잡을 수가 없어 오리도, 너구리도 아닌 오리너구리 같다며 J가 붙여준 별명이었다. 세상이 해석한 H도 그와 다를 바 없는 걸지도 모르겠다. 여기에도, 저기에도 속할 수 없는 그런 종.

J는 어버이날 H가 쓴 편지도 떠올렸다. '아버지가 돌아가

시면 집과 장남의 권리는 아들에게 있다'는 내용이었다. H의 엄마가 '낳아주셔서 고맙습니다'가 아닌 잿밥에만 눈독을 들이는 거냐며, 왠지 호랑이 새끼를 키운 것 같다고 핀잔을 주었다. 도둑 같은 심보라는 말도 덧붙이자, H는 맞는 말 아니냐고 우겼더랬다. 그 말을 들은 J는 '저 살 궁리는 하는 모양'이라며 웃었다. 엄마는 자신의 사후가 걱정되긴 하지만, '그래, 내일을 걱정하느라 오늘을 놓치면 더 많은 후회가 따를 테니 그냥 살아있는 그 날까지 최선을 다하고 많이 사랑하며 함께 하자'는 마음으로 스스로를 다독인다고 했다. 잠든 H의 곁에서 엄마는 함께 할 수 있는 남은 시간을 헤아리며, 오늘도 기도한다. 영상에서 흘러나오는 대사를 받아치듯, J는 엄마의 기도를 받아쳐 본다. 세상이 어떻게 해설할지는 모르겠다.

"아들이 제 몫을 살아가는 데에 걸림돌이 없도록 숲속 오솔길로 자유로이 갈 수 있도록, 하늘이시여 허락하소서. 외톨이가 아닌, 만나는 이들 모두가 사랑으로 바라봐주는 좋은 길동무를, 하늘이시여 허락하소서. 짐이 되는 삶이라면, 살아있음의 실체인 육과 죽음의 영혼도 어미와 함께 갈 수 있도록, 하늘이시여 허락하소서."

제9화 한 뼘

화면해설을 위해 사물의 크기를 설명할 땐 cm와 같은 단위보다는 신체 부위에 빗대어 설명하곤 한다. J는 휴먼 다큐멘터리 주인공이 캐낸 버섯과 산삼의 크기를 가늠하기 위해 눈을 가늘게 떴다. 주인공 손으로 버섯 갓이 가려지니 우산처럼 생긴 저 버섯은 손바닥보다 작은 크기이고, 산삼의 뿌리는 손바닥에 놓았을 때 손목 아래로 내려가니 전체가 두 뼘 길이 정도 될 것 같다. 물론 사람의 신체 크기는 저마다 다르지만, 그나마 쉽고 빠르게 상상할 수 있기 때문에 대략적인 크기 설명인 것이다. 높이 8m보다는 건물 3층 높이라는 표현이 좀 더 직관적으로 와 닿는 것처럼 말이다. 손톱만한 빨간 열매라든가, 손가락 한 마디 만한 우박 덩어리, 팔뚝 길이 만한 월척, 허리 높이까지 오는 코스모스, 운동장 만한 텃밭 등을 예로 들 수 있다. 그러나 세상은 넓고 인간은 미약하여, 자연 다큐멘터리를 작업하던 J가 잠시 말을 잃었다. 하늘을 향해 치솟은 나무의 높이는 대략 얼마큼인가. 사람 키의 네다섯 배라 하면 짐작이 될까? 집채 만한 바위라고 쓰다가, 집채는 어느 집채 기준이란 말인가. 초가집? 단독주택? 아파트? 깎아지른 절벽은? 63빌딩 같다고 할 수는 없지 않나. 그전에, 63빌딩이 절벽 높이만큼은 되나? 자막 정보가 없는 폭포는 영상만으로는 길이와 폭을 가늠하기도 어렵다. 그때마다 자주 쓰이는 상용구로 버텨보곤 했는데, 그러다 난적을 만났다. 매 회차마다 나오는 인물은 다르지만 하는 행동은 같은 프로그램으로, 바로 산을 오르는 내용이었다. 거기에 산이 있으니 오르는 거겠지마는, J는 전혀 몰랐던 명산들이 국내외에 어찌나 많던지, 모든 풍경들이 하나같이 그림 같았다. 등산객이 정상에 올라 "아! 우와! 캬~!" 하는 감탄사만 내뱉는 것을 무어라 나무랄 순 없다. 저 장관 앞에서 무슨 말을 덧붙이랴. "저기 좀 보세요!"라고 손가락으로 가리키며 지시 대명사를 쓰는 것도 이해할 수 있다. J가 화면해설 작가가 아니라면 말이다. '저기'가 대체 산의 어느 부분인지, 산맥과 산등성이, 산줄기, 산비탈, 산자락 등의 사전적 정의를 읽어봐도 헷갈리기만 하다. '산은 산이요, 물은 물이로다'가 아니던가. 하얀 폭포수는 험준한 바위 골짜기 사이로 떨어지고, 수면 위는 햇빛이 반사되어 반짝거리고, 드넓게 펼쳐진 바다의 수평선은 하늘과 맞닿고, 암석의 색깔까지 설명했는데도 장엄하고, 웅장하고, 경이로운 산 묘사는 끝이 없었다. 해외 명산을 갈 경우엔 더 난감해진다. 붉은 협곡과 만년설, 하늘을 향해 쭉쭉 뻗어 있는 생소한 나무들, 저 온갖 꽃들을 그저 색깔로만 설명하자니 아쉽고, 더 자세히 설명하자니 세상에 저런 기묘한 모양이 따로 없다. 숲은 푸르다지만, 얼마나 많은 푸른색이 섞여 있던가. 요즘은 드론 촬영도 많이 이루어지다 보니, 상공에서 내려다보는 시점의 영상이 많다. 드라마는 감정선이나 이야기 전개 상 촬영기법을 해설하지 않는 경우가 대부분이지만—물론 예외는 있기 마련이다—다큐멘터리 같은 경우에는 '상공에서 내려다본' 장면임을 명시할 때가 있다. 독수리처럼 창공을 날며 내려다본 장면이 아니면 표현할 수 없는 장면이기 때문이다. 산줄기와 골짜기 등이 한눈에 내려다보이고, 산을 오르는 인간은 개미처럼 작으며, 까마득한 아래에 자리한 건물들은 성냥갑만 하다. '잠깐, 요즘 같은 시대에 성냥갑이 뭔지는 알까?' 아름다운 자연 앞에서 J는 매번 마음이 답답해진다.

●

그날은 웬일로 H가 답답해하길래 늦은 저녁, 동네 슈

퍼마켓에나 다녀오자며 H의 엄마와 H가 함께 집을 나선 날이었다. H는 마스크 쓰기를 극구 거부하여 코로나 시기 내내 집과 뒷산 말고는 갈 수 있는 곳이 없었는데, 뒷산이야 야외니까 목 두건으로 어떻게 대체한다 쳐도, 동네 슈퍼마켓은 마스크 없이는 갈 수 없기에 이를 설명해주었다. 집에만 있던 게 정말 답답하긴 했던 모양인지 H는 가까스로 수긍했다. 아파트 엘리베이터가 도착하고, 낯선 사람이 타고 있어 엄마가 H의 마스크를 제대로 올려주자, H는 바로 내려버렸다. 마스크를 쓰지 않았다고 아파트 주민에게 신고를 당한 적도 있었기에 엄마는 '그럼 나가지 말자'며 손을 잡아 끌었고, H는 '안 된다'며 다시 1층 버튼을 누른 다음 마스크를 썼다. 하지만 1층에 도착하여 엘리베이터에서 내린 H는 뿔이 나서 마스크를 또 내렸고, 아파트 공용현관 밖으로 나가버렸다. 엄마는 그런 H의 뒤를 따라가 마스크를 잘 쓰라고 말하고, H는 싫다고 고집을 피우면서 200미터 남짓한 거리에 있는 슈퍼마켓을 향해 걸어갔다. 방아쇠가 된 건 엄마가 '말 좀 들으라'며 H의 등을 찰싹 때린 순간이었다. 바로 그 순간, H는 화가 폭발하여 '왜 때리냐'며 엄마를 주먹으로 마구 때리기 시작했고, 엄마는 그런 아들을 제지하지도 못한 채 힘없이 넘어지고 말았다. 지나가던 사람이 '누군데 때리느냐'기에 '아들'이라고 답을 한 엄마는 그사이 슈퍼마켓으로 줄행랑친 H에게 달려가 '어미를 무자비하게 때리는 게 어디 있느냐'며 실랑이를 벌였다. 그리고 잠시 후, 신고를 받은 경찰관이 도착했다. 경찰관은 H에게 왜 폭력을 썼냐고 물은 다음, 엄마에게 잠깐 저쪽으로 가서 이야기 좀 하자 요구했다. 엄마가 내 아들이라고 말하며 그냥 가시라 하자, 신고가 들어왔기 때문에 그냥 갈 순 없다는 답이 돌아왔다. 엄마는 작은 소리로 H가 지적 장애인이라고 말해주고 처분을 기다렸다. 심문이 이어졌다. 경찰관은 H에게 '왜 때렸냐'고 재차 물었고, H는 '모르고 그랬노라' 답했다. 경찰관이 수갑까지 보여주며 '엄마를 왜 때렸냐'고 되묻자, H는 여전히 '모르고 그랬노라' 되풀이했다. 누가 오리너구리 아니랄까 봐, 오리발 내미는 솜씨가 수준급인 H를 엄마는 괘씸해 하며 지켜보았다. 그런데 곁에 있던 또 다른 경찰관까지 합세하여 야단을 치니, H는 '몰랐노라' 말하면서도 손끝을 바들바들 떨었다. 결국 엄마가 H의 손을 잡고 차근히 물었다.

"엄마가 아들 믿고 살지?"
"응."
"아들, 코로나 예방 접종 맞았나?"
"아니."

"그래서 마스크 써야 된다고 한 건데 아들이 말 안 듣고 휙 가버리니까 엄마가 으이구~ 하고 한 대 때렸는데 아팠어?"

"아니."

"한데 아들은 엄마를 무지막지하게 때렸지? 그래서 어떤 사람이 신고를 해서 경찰 아저씨가 온 거잖아."

경찰관이 다시 나서 '다시는 그러지 말라'며 손가락 약속을 한 다음 돌아갔다. 그렇게 그 상황은 모면했지만 그 날 밤, 상황을 찬찬히 곱씹어 보던 H는 억울했던 모양이다. H는 '나는 잘못한 것이 없고, 엄마가 먼저 때렸기 때문'이라고 툴툴댔다. 한바탕 소동을 전해 들은 J는 엄마에게 다른 데 다친 곳은 없는지 물었다. 아주 가끔 폭력 사태가 벌어질 때면, 심장이 발밑으로 뚝 떨어지면서 숨이 쉬어지지 않는다. 말로 되지 않는다고 포기할 수도 없고, 말로 되지 않는다고 똑같이 때릴 수도 없다. 사지를 묶어 놓을 수도 없고, 노인의 몸으로 감내하라 수수방관할 수도 없다. J는 일단 폭력의 강도를 떠나, 그동안의 폭력 사태를 돌이켜 보면 어쨌든 엄마가 먼저 H를 쳤기 때문에 H가 자신은 정당하다고 합리화시키는 것일 거라고 흥분하는 엄마에게 설명했다. 그리고 '부모는 자식을 때릴 수 있지만 자식은 부모를 때려서는 안 된다'는 말도 하지 말라 했다. 부모도 자식을 때려서는 안 된다. '나는 해도 되지만 너는 안 된다'가 H에게 먹힐 리 없지 않은가. 그리고 폭력 상황이 벌어지면 무조건 몸부터 피하고 안전거리를 유지할 것, 애초에 그러한 감정 폭발이 일어나지 않도록 유의할 것, 마지막으로 폭력은 나쁜 것이고 엄마를 때리면 안 되니 사과를 받아낼 것. 그렇게 미션이 주어졌다.

그날 이후, 뒷산 이곳저곳에서는 난데없는 재판이 벌어졌다. 종종 마주치는 H 또래의 청년이 인사를 하자, H의 엄마가 붙들고 자초지종을 설명한 다음 판결을 부탁한 것이다. H도 이야기 도중에 끼어들어 수갑 이야기까지 하며 나름 본인을 변호했다. 청년은 현명하게도, '남자는 아무리 화가 난다고 해도 폭력은 금물'이고, '어떤 누구도 때려서는 안 된다'고 말하며, '두 번 다시 때리지 말라'는 약속까지 한 다음 갈 길을 갔다. 자신의 행동이 틀렸다는 지적이 못마땅했던 H는 이번엔 매일 쉬어가는 정자에서 커피를 타주는 아저씨에게 판결을 부탁했다. 상황 이야기를 들은 아저씨는 'H가 다 큰 어른이니까 어미를 보호해야 한다'는 말과 함께 '아무리 화가 나도 아들이 어미를 때린 건 잘못한 것'이라며 '사과하고 화해를 하라' 판결을 내렸다.

"엄마, 미안해. 잘못 했어."

결국 H는 꾸벅 인사를 하고 엄마 품에 안겼다. 모두의 박수 속에 그제야 숙제를 풀었다 싶은지, 산을 내려가는 H의 발걸음은 가벼워지고 목소리는 경쾌해졌다. 다큐멘터리 〈인간극장〉이었다면 이쯤 해서 엔딩 크레딧이 올라가야 하건만, 집에 돌아온 H는 오후 내내 다시 생각에 잠겼다. 혼자 중얼중얼 무언가를 되뇌는 H의 얼굴이 어두워진다. 저 마음에 무슨 응어리가 남은 걸까. H는 엄마 곁을 서성이며 표정을 살피는가 하면, 무릎의 상처는 어떠냐며 괜히 툭툭 말을 붙여왔다. 그제야 H의 마음을 눈치챈 H의 엄마가 H를 옆에 앉게 한 다음, 다시 한번 소상하게 사건을 하나하나 되새김질하면서 H에게 '미안하다' 사과했다. 그리고 '사랑하는 아들이 어떤 어긋나는 행동을 할 때 다시는 때리지 않고, 아들이 이해할 때까지 말로 설명할 것'이라고 약속했다. 그렇다. 폭력의 강도를 떠나, 세상에 하나뿐인 자기편이 자신을 때린 것에 대한 사과를 H는 받지 못했던 것이다. 엄마의 사과를 받고 나서야 H는 온전하게 풀려 엄마의 목을 끌어안고 "사랑해, 엄마. 좋은 꿈 꿔, 잘자~" 하면서 폭력 사건의 대단원이 막을 내렸다.

다큐멘터리는 에피소드와 에피소드를 연결하는 사이에 잠시 쉬어가는 영상이 들어가곤 한다. 그 공간이 너무 길어지면 듣는 이로 하여금 궁금증을 불러일으킬 테니 간단히 설명하곤 하는데, 자주 나오는 영상으로는 해, 하늘, 구름, 꽃 등이다. 매번 해가 어떻게 넘어가는지, 하늘은 어떻게 물들어 있는지, 저 꽃은 무언지, 저 나비는 무언지, 잠깐 쉬어가는 영상조차 쉬운 해설이 없다. 매번 H와의 갈등을 어떻게 넘길지, H의 마음은 무슨 색으로 물들어 있는지, H의 말과 행동이 의미하는 바는 무언지, 매일 똑같은 일상조차 쉬운 법이 없는 것처럼. 산 너머로 뉘엿뉘엿 저물어가는 해가 하늘을 붉게 물들인다. 바위에 누군가 작은 조약돌을 쌓아 올려 한 뼘 높이 만한 탑을 만들어놓았다. 평생을 가도 자기 잘못은 절대 인정하지 않고, 사과를 하지 않던 H였다. 내일은 다시 제자리로 돌아가거나, 뒷걸음질 칠 가능성이 더 많지만, 그래도 한 뼘 만큼 성장하는 날도 있다고 H를 해설할 수 있기를. J는 영상 속 태산 같은 한 뼘 돌탑을 보며 기원했다.

일행의 발아래 펼쳐지는 풍경은/ 골짜기가 운해에 잠겨
하얀 강줄기가 흐르는 모습 같다.
풍경을 내려다보는 일행의 옷자락이 바람에 펄럭인다.

안개는 신비롭게 산맥을 휘감고,
상공에서 내려다본 산맥은/ 구름 사이로 드러난 햇빛이
비치는 곳과 비치지 않는 곳의 명암이 뚜렷해진다.
깊은 골짜기 부분 부분에 안개가/ 웅덩이처럼 고여 있다.

안개가 다시 짙어지더니 산맥을 집어삼키고,
신비로운 분위기를 자아낸다.

다큐멘터리 <트레킹 노트> 화면해설 대본 中

제10화 평화와 정의를 위해

J는 22분짜리 애니메이션 화면해설을 위해 5시간째 끙끙대는 중이었다. 대본비는 분 당 책정되기 때문에 20분 남짓한 애니메이션은 최고 어려운 등급으로 책정해도 수중에 떨어지는 돈은 얼마 되지 않는다. '얼마 되지 않는다'의 기준은 저마다 다르겠지만, 무엇을 상상해도 작가에게는 적은 돈이요, 제작자에게는 아까운 돈이며, 시청자는 고개를 갸웃거릴 수 있겠다. 화면해설을 쓰는 게 무엇이 어려운지 모르는 이가 들으면 어렵게 들릴 리 없을 테니까. 물론 그렇다고 해서 해설 자체가 어려우면 더 큰 문제다. 시청에 도움을 주고자 하는 해설이 해석을 요하게 되면 해설에 대한 해설, 각주를 달 수도 없는 노릇이기 때문이다. 20분 남짓한 애니메이션 작업이 그토록 오래 걸리고 어려운 이유는 첫째로 '의성어의 남발'을 꼽을 수 있다. "윽!", "앗!", "크윽…."은 물론이요, 인간이 아닌 소리, 무기를 뽑는 호흡, 달려가다 넘어지는 호흡, 버티는 호흡 등등 본 대본에 대해 조금 과

장해서 말하면 단어나 문장보다 의성어, 호흡을 설명하는 연기 디렉션이 더 많다고나 할까. J는 본 대본과 더빙이 1차 완성된 영상을 비교해 보며 감탄했다. 설명하기 어려운 호흡과 의성어를 성우들이 어찌나 잘 구사를 했는지, 보다 보면 자신도 모르게 주인공과 함께 출동하고, 함께 싸우는 기분이 들 정도였다.

하지만 그럴 때가 아닌 J는 다시 대본 정리를 한다. 해설이 들어갈 부분을 정확히 하기 위해서는 인물의, 아니 인간 아닌 것들도 있으니 캐릭터들의 대사를 정확히 수정해야 한다. 하지만 윽, 큭, 으앗, 흑, 흠, 얏 등으로만 정리된 대본을 보다 보면 한숨이 절로 나온다. 게다가 그러한 감탄사조차 없이 효과음만 난무하는 구간도 있다. 예를 들어, 로봇이나 전투기가 합체하는 장면은 영상을 1초 단위로 끊어보며, 도대체 뭐가 뭐랑 어떻게 결합이 되어 뭐가 되는지 분석을 해야 한다. 어릴 때 만화영화를 보다 보면 늘 '저렇게 합체할 시간에 공격을 하면 되지 않나'라는 김빠지는 생각 따위나 하던 J가 자라, 어느 부분이 어떻게 결합 되어 슈퍼 울트라 파워 캐릭터가 되는지 꼼꼼히 봐야 하는 직업을 갖게 될 줄 누가 알았을까. 합체 시간은 꽤 되는 편이지만, 해설 문장이 다 들어갈 수 있을 만큼 넉넉하지는 않기에 열 줄이 넘어가던 문장은 일곱 줄로 줄어들고, 단어를 줄이고, 조사를 줄이고, 끝내 마음까지 졸인다. 하지만 합체 장면은 반복되기 일쑤니까 한번 고생하면 그 뒤로는 훨씬 수월하게 쓸 수 있으리라 생각하면 천만의 말씀, 만만의 콩떡이다. 장난감 회사의 장사 수법이든 뭐든, 하나의 적을 물리치면 그보다 강한 적이 나오기 마련이고, 로봇은 그만큼 발전하여 더 크고, 더 두껍고, 더 복잡한 메카닉이 되어가기 때문이다.

"작가님~ 이번 애니는 로봇 아니에요~"

그 말에 J는 또 속아 넘어가 버렸다. 물론, 온갖 악귀가 나오는 애니메이션이니 로봇이 나오진 않는다는 말이 맞긴 맞았다. J는 혹여나 놓치는 소리가 있을까 봐 소리를 크게 해놓고 전체 화면으로 보다 기겁했다. 기괴하고 흉측한 악귀들이 갑자기 튀어나오는 바람에 J도 주인공과 동시에 비명을 지르며 눈을 감아버렸다. 모니터 뒤로 숨을 수도 없고, 해설하려면 몇 번이고 돌려보는 수밖에 없는데, 이것이 J의 운명이라면 받아들이는 수밖에 없다. 누가 만화영화를 유치하다 했던가. 악귀를 상대하는 주인공도 비장해지고, J도 비장해진다. 애니메이션마다 무어라 이름 붙이기 어려운 도구나 아이템을 통해, 무어라 설명하기 어려운 방식으로 소환한 다음, 무어라 할 수 없는 존재들과, 무어라 설명할 틈도 없이 싸워댄다. 정의를 지키는 것이 이토록 어려운 것이었다니. 지구의 운명은 이 아이들에게 맡겨놓고 어른은 출근만 하는구나. 누구도 알아주지 않는 어둠의 골목에서 지금도 정의와 평화를 위해 싸우는 존재들에게 경의를 표하고 싶다. 하지만 J는 이내 전투 장면을 해설하다 버럭 소리를 지르고 말았다.

"말을 해라, 이것들아!!"

물론 싸우다 보면 말할 여력은 없겠지만, 사투를 벌이는 시간이 영상의 절반을 차지하면 J도 기진맥진이 되고 만다. 치고, 빠지고, 휘두르고, 가르고, 돌고, 아무래도 무협 소설을 좀 더 보며 표현 사전을 업그레이드해야 할 것 같다. 물론 무협 소설에 광선 빔이나 번개, 무어라 형용할 수 없는 온갖 마법과 무기들이 나오진 않지만 싸움 표현에 조금은 도움이 되지 않을까.

"작가님~ 이번 애니는 무서운 거 아니에요~"

정말 아니었다. 합체도 하지 않았고, 온갖 소환술도 없었으며, 캐릭터들은 동글동글 귀염뽀짝한 것들이었다. 미취학 아동들을 위한 애니메이션은 귀엽고, 평화롭고, 교훈도 있었다. 해설 문장도 '-이다' 체가 아닌 '-해요' 체로 쓴다. 다만, 〈뽀뽀뽀〉의 뽀미 언니가 된 것 마냥 이랬어요, 저랬어요 하다 보면 힐링이 되다 못해 모든 것을 파괴하고 싶은 욕망이 샘솟는 게 부작용이라면 부작용이랄까. 단어 선정도 어렵긴 마찬가지다. '쉬운 단어로 쉽고, 명확하게 설명해야 한다'는 명제가 본래 제일 어려운 법이다. 인생 2회차인 아이가 아닌 이상 '회상'이라는 단어는 모르겠지. 그럼 '과거'라는 단어는 알까? 시간 개념이 어느 정도 있는 나이지? 이런 애니메이션은 자녀가 있는 해설 작가에게 조금 더 유리한 장르일까? 불행히도 엄마 작가는 육아와 일을 병행하느라 바빠, 만나서 물어볼 틈은 없었다.

●

"똘기 떵이 호치 새초미 자축인묘~"

영원히 오지 않을 것 같던 평화가 찾아오고, 이번엔 J가 예능을 작업하고 있었는데, 익숙한 노래가 출연자의 입에서 이구동성으로 흘러나왔다. 다음 해가 무슨 띠인지 묻는 질문에 십이지를 〈꾸러기 수비대〉로 배운 세대인 출연진들이 떼창을 부른 것이었다. 반갑기도 하고 웃기기도 해서 J도 함께 따라 불렀다. H는 〈꾸러기 수비대〉의 광팬이다. 〈꾸러기 수비대〉 옷에, 핀 버튼에, 목 두건, 그에 맞춰 손목시계도 매일 다른 색깔을 찬다. '왜 꼭 그래야 하냐'는 질문을 던지면 H와 선문답을 나눌 수 있는 기회를 얻을 수 있다. 요약하자면 '인생은 그런 거다'랄까.

"마녀 헤라! 저지하라! 물리쳐~라!"

마녀 헤라에게 무슨 죄가 있다고. 열두 동물에 들지 못한 고양이가 저렇게까지 앙심을 품고 미움을 받을 일인가. J는 H가 틀어놓은 〈꾸러기 수비대〉 주제곡을 들으며 중얼거렸다. J의 말을 들었는지, 클레이로 꾸러기 수비대를 만들던 H가 신나게 일장연설을 늘어놓는다. '자, 똘기는 똘똘하고 지혜로우니 대장을 하거라' 해서 첫 번째이고 축, 떵이는 힘이 세니 똘기 뒤에 있고 인, 호치는 숲속의 제왕이니 세 번째요 묘, 새초미는 호치 비서직이란다. 진, 드라고는 하늘을 나는 왕이고 사, 요롱이는 땅을 배로 기어 다니며 땅속을 장악하며 오, 마초는 달그락 달그락 뛴다며 제자리에서 껑충껑충 뛰더니 미, 미미는 박수를 친단다. 신, 뭉치는 여의봉으로 구름을 만들어 타고 하늘을 난다는 순간 H의 엄마가 끼어든다.

“아~ 하늘을 나는 용과 구름을 타고 나는 뭉치라서 용띠 어미와 원숭이띠 아들이 만나 알콩이 달콩이 사는 거구나?!”

H가 흐흐흥 웃으며 아니라더니, 똘기가 뭉치를 구하려다 손을 다치고, 뭉치가 쏜 물총을 강다리는 피했는데 떵이가 맞아서 결론은 뭉치가 사고뭉치란다. H가 사고뭉치긴 하지.

“그럼 마녀 헤라는 왜 저지하는 거야?”

J가 묻자, 그 이유는 오로라 공주만이 아는 비밀이고, 똘기가 대장이기 때문에 앞에서 ‘출동하자’고 명령을 한다고 한다. J에게는 가끔 해설을 하는 것보다 H의 말을 이해하기가 더 어렵다. 혹시 H도 몰라서 ‘비밀’이라고 말을 돌린 건 아닐까. 실은 이랬다 저랬다 하는 H의 말에 그 비밀이 숨겨져 있는 건 아닐까. J가 그런 생각을 하든지 말든지, H는 다 만든 꾸러기 수비대 클레이를 보여주며 어떠냐고 자랑을 한다. 설마 색깔에도 의미가 있는 걸까 물으니 아

니나 다를까, 뭉치는 빨강, 키키는 살구색, 강다리는 청록색, 노랑은 찡찡이, 똘기는 주황, 보라는 떵이, 호치는 연두, 핑크색은 새초미, 드라고는 파랑색이란다. 나머지 십이지와 색깔은 흘려들으며 J는 괜히 물었다 후회하고, 그 색깔이어야 하는 이유는 더 묻지 않았다. 하지만 엄마는 '뒷동산행기'에 쓰려는지 열심히 메모를 하며, 저번에는 똘기가 검정색이라 하지 않았냐고 되묻는다.

"어, 맞아. 똘기는 검정색인데 검이 무기고, 떵이는 하얀색, 들이박는 것밖에 모르는 뿔이 무기고, 호치는 연두색인데 어흥~ 이빨이 무기야. 새초미는 토끼, 분홍색인데 귀엽고, 요술 지팡이가 무기고, 다음은 드라고, 용이잖아. 여의주와 불이 무기고 청록색이야."

H는 용이 불을 내뿜는 흉내까지 낸다. 엄마는 추임새를 넣어준다.

"그래, 다음은?"

"요롱이도 청록색. 무기는 독으로 휘익~ 마초는 부메랑이 무기, 고동색이고. 미미는 여자니까 브라자가 무기이며 청록색이지."

"아들, 미미는 왜 갑자기 브라자가 무기야?"

"그걸 말해야 알아? 어떻게 말해~ 내 말 끊지 말고 잘 들어봐. 뭉치는 빨간색이고 여의봉이 무기고, 유는 닭, 키키는 남색, 무기는 섹시한 것이야. 엉덩이를 섹시하게 흐느적거리거든. 그리고는 무술년 개, 강다리는 무술이 무기며 군청색. 찡찡이는 기화포가 무기이며 노란색이지!"

손짓 발짓을 해가며 명강의를 마친 H는 그런데 주민들이 이런 꾸러기 수비대를 모른다며 분통을 터뜨린다. 쯧쯧…. 주민들은 출퇴근을 하느라 바빠 그런 걸 알 틈이 없는 법인데 그걸 모르다니…. 그러다 갑자기 H가 시계 앞으로 가더니 시곗바늘을 돌린다. 본가에는 뻐꾸기시계가 벽에 걸려 있는데, 낡고 오래되어 뻐꾸기는 나오지 않은 지 오래고, 밑에서 좌우로 흔들리던 추도 어디론가 사라져 버렸다. 그런 뻐꾸기시계의 시곗바늘을 H는 오후 2시가 되었다고 2로 돌리고, 8시가 되었다고 8로 돌리곤 한다. 가만히 두면 스스로 돌아갈 터이지만, 시간을 관장하는 신인 것마냥 스스로 돌려주곤 한다. 그리고 나선 드라마를 볼 시간이라며 엄마에게 〈광개토태왕〉을 틀어달라고 요구한다. 잠시나마 엄마에게 자유가 찾아오는 시간이랄까. 그래, 〈꾸러기 수비대〉의 비밀이 알고 보면 '자유'일지도 모르겠다.

"합체! 출동!"

애니메이션이 조금은 익숙해진 J가 오늘도 주인공과 함께 출동한다. H처럼 소리 내어 합체 출동을 외쳤더니 알 수 없는 기운이 흘러들어오는 것 같다. 그 기운 아래, 오늘도 본가의 뻐꾸기는 울지 않고, 모든 시계는 멈춰 있을 것이다. 그 멈춰 있는 시간만큼 H는 남들보다 뒤처지는 게 아니라, 어쩌면 남들 모르게 우주 평화와 정의를 지키고 있는지도 모르겠다.

또봇들 V 인티그레이션!

로켓의 우주선은 날개를 접고,
스피드는 앞뒤로 분해되더니, 로켓의 날개 부분에 강력히 결합한 다음 손이 나오며 팔이 된다.
올빼미 눈이 가슴 부분에 장식되고,
브이가 새겨진 이마 아래로, 두 눈이 번득인 다음
태양도 탑승 완료!

슈퍼 드릴러가 착착 접혀 반으로 갈라져 팔에 장착되면
강력한 드릴이 돌아간다.
파워 트레인은 반으로 접혀, 기존의 마스터 브이의 다리에
새롭게 장착되고, 결합 부분이 강력하게 맞물린다.

빛의 전류가 흐르면서 합체 완료!

애니메이션 <또봇> 화면해설 대본 中

제11화 봉인

J가 유치원을 다닐 때였다. 유치원 앞에는 동전을 넣고 돌리면 동그란 공 모양에 담긴 작은 장난감이 나오는 뽑기 기계가 있었다. 다른 건 뭐가 있었는지 기억도 나지 않지만, J는 열쇠 달린 자물쇠가 너무 갖고 싶었다. 왜 갖고 싶었는지는 모르겠다. 엄지 손가락 만한 자물쇠의 구멍에 열쇠를 꽂으면 딸깍 열리는 순간이 좋아서인지, 무언가에 자물쇠를 채우고 싶었던 건지, J 스스로도 알 수 없는 욕망이었다. 하지만 유치원생인 J에게 소득이 있을 리 만무하고, 용돈도 없는 나이였으므로 엄마에게 말하면 한두 번쯤은 뽑게 해줄 수도 있었겠지만, J는 엄마에게 말하지 않았다. 왜 말하고 싶지 않았는지도 모르겠다. 엄마가 당연히 동전을 내주지 않을 거라는 확신 때문인지, 무언가를 갖고 싶다는 말을 하면 착한 아이가 아니라는 생각 때문이었는지, J 스스로 알고 싶지 않았는지도 모른다. 그래서 J는 처음으로 엄마 지갑에 손을 댔고, 이후 그 자물쇠를 끝끝내 손

에 넣었는지는 기억나지 않는다. 뽑기 운을 2란성 쌍둥이로 태어나는 순간 다 썼다는 말을 농담처럼 하던 J이니, 아마 결국 손에 넣지 못하지 않았을까 싶긴 하다. 지갑에서 훔쳐봐야 몇백 원 남짓이었겠지만, J의 엄마가 모를 리 없었다. 엄마라는 존재는 모든 걸 다 아는 사람이니까. 하지만 엄마는 J를 나무라거나, 몰아세우거나, 추궁 없이 '세상 사람 모두를 속일 수는 있어도 자기 자신은 안다'라는 말만 했고, 결국 J는 울음을 터뜨리며 거짓말을 실토했다.

●

드라마 작업을 하던 J가 그 자물쇠 기억을 떠올린 이유는 '봉인식' 때문이었다. '봉인'이라는 단어에서 자물쇠가 연상된 터였다. J가 처음 맡은 16부작 드라마였는데 첫 회부터 마왕이 나오는 사극·판타지·로맨스 드라마다 보니, J의 혼이 그만 나가버렸다. 드라마는 작업을 시작하기 전 밑작업부터 만만치 않은 장르다. 영상을 미리 보며 내용과 인물 관계를 파악하고, 화면해설이 어려운 주요 장면을 확인한다. 성우가 읽기 좋고, 작업하기 편하게 대본 정리를 하는가 하면, 이전에 비슷한 장르를 쓴 다른 작가의 대본도 참고하고, 사극이다 보니 사극에 쓰이는 단어들도 정리한다. 첫 드라마 작업이라 작가 교육을 받았을 때 필기했던 내용도 다시 꼼꼼하게 훑어보았지만, J의 긴장감은 좀처럼 사그라지지 않았다. 그런데 첫 회, 첫 장면부터 '마왕 봉인식'이라니. 그것도 대사가 거의 없는. 듣도 못한 의식이 현대가 아닌 배경 속에서 행해지고 있으니, J는 떡 벌어진 입을 다물 수 없었다. 시간은 흐르고, 마감은 다가오고…. J는 "차라리 나를 봉인해!!" 하며 울부짖었고, 소원대로 컴퓨터 앞에 봉인되고 말았다. 인물이 검을 휘두르자 검기가 쏘아져 나가고, 모닥불의 불길이 거세지며 불똥이 튀어 바람에 휘몰아치고, 검은 연기가 형태를 갖추며 마왕이 등장하는데, 그러니까 저 마왕은 어떻게 생겼는지, 크기와 위력은 얼마만 한 지, 인물들도 정신없고, J도 정신없고, 배우도 정신없고, 온 우주의 기운을 모아 젖 먹던 힘까지 다 하여 돌풍이 불고, 깃발은 펄럭거리고, 도포 자락도 휘날리는 가운데, J의 정신까지 흩날리면서 비명소리만 난무하는 난장판 속에 마왕이 봉인되었다.

이후, 마왕은 당연히—드라마는 16부작이니까—봉인이 해제가 되어 활개를 쳤고, 드라마가 방영되는 내내 J도 마왕을 쫓아다니느라 동분서주, 아니 컴퓨터 앞에 묶여 있었다. 드라마를 계속 작업해오던 다른 화면해설 작가의 안부가 걱정되는 나날들이었다. 드라마는 장르가 다양하고, 요즘은 영화 못지않게 완성도가 높아지고 규모도 커져서 수월한 드라마 작업이 없다. 달달한 로맨스 드라마에서 배경음악이 흐르는 가운데 주인공들은 눈빛과 몸으로만 사랑을 확인할 때가 있는가 하면, 골목과 도로 등에서 긴박하게 추격씬이 벌어지고, 눈으로 좇기 바쁠 만큼 현란한 액션이 숨 가쁘게 이어지기도 한다. 복잡하게 꼬인 추리극에서는 무엇이 복선이 될지 모르니 사물이나 인물 하나 해설하는데 신중함이 더해질 수밖에 없고, 천만 관객을 돌파했던 〈신과 함께〉와 같은 영화처럼 CG나 판타지 요소가 많은 드라마에서는 묘사의 한계를 뼈저리게 느끼게 된다. 호러는 또 어떠한가. 주인공과 함께 비명을 지르면서도 눈 똑바로 뜨고 해설할 건 해설해야 하고, 타임 슬립으로 이리 갔다 저리 갔다 하는 와중에도 정신줄은 꼭 붙들고 있어야 한다. 의학이나 법정 드라마와 같은 경우에는 전문용어가 쉴 새 없이 자막으로 나오기는 하지만 동시에 인물들도 쉴 새 없이 떠들기 마련이고, 그들이 쓰는 여러 가지 물건들은 생소하기 짝이 없다. 스포츠의 감동을 느끼기에도 갖가지 공들은 너무 빨라서 A가 친 공이 네트를 넘어간다고 해설할 때쯤이면 이미 공을 서너 번은 주고받은 다음이 되기 일쑤다. 그래도 티끌 모아 태산이라고 1분씩, 1분씩 꾸역꾸역 해설을 해나가다 보면 1분이 모여 10분이 되고, 10분이 모여 60분이 된다.

●

J가 네 살 무렵, 엄마가 어디서 옷을 얻어오자 J는 '지지'라며 입지 않겠다고 울었단다. 그런 J 앞에서 엄마는 얻어온 옷들을 빨간 고무 대야에 모두 담아 손빨래를 시작했다. 그리고 네 살짜리에게 설명을 했다지? 이렇게 깨끗이 빨아 입으면 하나도 더럽지 않고, 이렇게 아껴야 절약이 되고, 나아가 국가 경제 발전까지 논했다는데, J가 얼마나 이해했는지는 모르겠다. 엄마 말로는 어린 J가 똘망똘망한 눈을 깜빡거리며 알았다는 표정을 지었다는데, 그럴 리가. 그 뒤로 몇십 년이 흐른 뒤에야 J는 1분이 일으킨 나비 효과가 60분이 된다는 걸 절절히 깨달았을 뿐이다. 그 60분이 모여 어디로 날아갈지는 모르는 일 아닌가. 물론 엔딩을 불러오는 거겠지만. 다행인 건, 아무리 힘들어도 드라마에는 끝이 있다는 것이다. 갈등이 있으면 해소가 있고, 위기가 있으면 결말이 있다. 그래서 사람들이 드라마를 보는지도 모르겠다고, J는 생각했다. 삶은 드라마보다 더한 드라마인 법이니까. J는 선택한 적 없지만 H와 2란성 쌍둥이로 태어났고, H는 지적 장애인이 되었

고, 시각 장애도 가지게 되었으며, H로 인해 그런 게 있는지도 몰랐던 J는 화면해설 작가가 되었고, 하루하루 전쟁을 치르듯 살아가고 있다. 그러한 운명에 여보란 듯 반항하고 싶을 때면 J는 무채색 옷을 입곤 한다. 검은색 상복처럼, 흰색의 수의처럼 나는 죽었다는 듯, 나의 인생에 애도를 표한다는 듯. 그러면 가혹한 운명의 눈에 띄지 않을 거라고 믿는 것처럼.

어제는 H와 코미디를 찍었고, 오늘은 다큐멘터리를 찍고 있지만, 내일은 공포영화를 찍을지도 모른다. 드라마는 일주일만 기다리면 되지만, 삶은 기다림의 연속이라 한 치 앞도 모른 채 그저 오늘을 겸허히 살 수밖에 없다. J와 H의 부모가 더 나이 들고 병들면 어떻게 될지, J와 H 둘이 남은 세상은 또 어떠할지, 인생 드라마는 빨리 감기나 건너뛰기가 되지 않으니 어쩌겠는가. 다만 빛과 어둠 사이에서, 회색 옷을 차려입은 J는 그것이 나름의 화해의 손길이자 DMZ라고 여기기로 했다. 이 결론이 빨간 고무 대야에서 빨래하던 날갯짓에서 시작된 것처럼.

드라마 주인공들은 2달 사이 온갖 시련과 역경을 이겨내고 해피 엔딩을 위해 달려간다. 당연하지만, 해피 엔딩을 거저 얻을 수는 없다. 마지막 회에 다다라 J는 '마왕의 봉인식' 앞에 또다시 끌려왔다. 어쩌면 어린 J가 자물쇠로 잠그고 싶었던 건, 다 큰 J가 여전히 봉인하고 싶었던 건, 어쩌면 H일지도 모르겠다. H가 J의 삶을 봉인했다는 생각이 들 때가 있으니까. 하지만 엄마가 그랬다. '세상 사람 모두가 몰라도 너 자신은 안다고.' 세상 사람 모두가 몰라도 J는 안다. J가 어떤 마음으로, 어떻게 하루하루를 살아왔으며, 그 지난한 시간을 어떻게 지나왔는지. J의 삶을 봉인한 게 H라면, 봉인을 해제하는 열쇠는 J에게 있다. 그 열쇠를 온갖 장르가 섞여 있는 인생이라는 대하드라마 속에서 찾으며 살고 있다. '마왕의 봉인식'을 해설하다 하나를 찾은 것처럼. 그리고 그해 연말 시상식 때 마왕을 연기한 배우는 상을 받았고, J는 아낌없는 박수를 보냈다. 마왕을 봉인하느라 힘은 들었지만, 이 정도면 현실도 해피~ing 아닌가.

 # 객사 안 / 밤

(문 열리는) **<u>객사의 문이 활짝 열리고,</u>**

<u>황금빛 나비가 어용을 향해 돌진한다.</u>

삼신 (E) 애썼구나, 천기야.. 이제 두 사람의 인연이 이어지리니..

원래대로 돌아온 하람이 제단 위에 풀썩 쓰러진다.
나비와 마왕이 어용 속으로 함께 빨려 들어간다.
마왕은 발버둥을 쳐보지만, 속수무책으로 끌려간다.

(천기) 양명과 화공들은 이를 악물고 온 힘을 다해
어용틀을 붙든다.
객사 안에 돌풍이 휘몰아친다.

(화차) 화차는 그 광경을 지켜보고, 천기는 망연히 앉아 있다.
영종 어용의 목둘레를 따라, 황금빛 선이 반짝이다 사라진다.
(촛불 꺼지는) 촛불이 꺼지고, 바람이 잦아든다.

(곤룡포) 영종의 곤룡포가 검붉은색으로 물들고,
눈동자 색이 붉은색으로 바뀐다.
(화차) 화차가 고요한 미소를 띠고, 몸을 돌려 사라진다.
화공들이 잠잠해진 영종 어용을 바라본다.

드라마 <홍천기> 화면해설 대본 中

제12화 어제 다르고 오늘 다르다

무혁이 살인범에게 달려들어, 칼을 휘두른다.
살인범이 무혁의 목을 한 손에 잡고, 힘으로 밀어붙인다.
무혁이 칼을 떨어뜨리고, 주먹을 얻어맞아 쓰러진다.
무혁이 일어나 살인범에게 주먹을 휘두르지만, 빗나간다.
무혁은 살인범의 몸통을 끌어안으며, 뒤로 넘어뜨린다.
무혁은 쓰러진 살인범을 주먹으로 마구 내려치고,
살인범이 무혁을 걷어차자, 무혁이 나자빠진다.
무혁은 덤벼드는 살인범을 향해, 옆에 나뒹굴던 형광등을 휘두른다.
살인범이 비틀거리자, 무혁은 인정사정없이 형광등을 휘두르는 바람에 유리창에 깨진다.
깨진 유리창으로, 눈발이 휘날려 들어온다.
살인범이 무혁의 멱살을 쥐고 창으로 밀어붙이자, 유리창이 깨진다.
두 사람은 막무가내로 개싸움을 벌인다.
살인범이 무혁의 목을 조른다.

범인 사람 찔러 죽이는 기분 알아요?

영화 <특종: 량첸 살인기> 화면해설 대본 中

H와 엄마가 뒷산에 오르내리며 만나는 사람들은 화면 해설의 다양한 장르만큼이나 가지각색이다. 정말 단 하루도 빠짐없이 10년을 넘게 오르내리고 있으니 H와 엄마가 뒷산의 명물이라면 명물이라 할 수 있다. 그래서 J나 H, 엄마는 상대방을 몰라도 상대방은 이들을 아는 경우가 허다하다. H가 한쪽 시력을 잃고 남은 눈도 여의찮아 엄마와 껌딱지가 된 지도 10년이 다 되어가니 당연한 걸지도 모른다. H는 매일 오전 뒷산을 오를 때 제일 수다스럽고, 엄마는 제일 신경이 곤두선다. H의 수다 레퍼토리는 한결같아서 십이지 열두 동물로 시작하여 숫자놀이를 하고, 새별이 나무를 안아준 다음, 벤치에 벌러덩 눕고, 계단을 세고, 아침밥, 점심밥, 저녁밥 타령을 하고, 무술이랍시며 여의봉을 휘두르고, 다른 사람들 앞에서 폼을 잡고, 길냥이에게 밥 주라 잔소리하고, 운동기구에 올라가 허리 돌리기를 하고, 엉터리 팔굽혀 펴기나 턱걸이를 하고, 바닥에 떨어져 있는 나뭇가지나 돌멩이를 주워 던지고, 지나가는 개들에게 아는 척 하고, 데크길 난간에 '기대지 마시오'라고 써놓은 표지판을 똑똑 두드린 다음 기대는 시늉을 하고, 갈림길에서 잠시 엄마와 헤어졌다 스무 걸음 다음에 다시 만나고, 허리 돌리기인지 웨이브인지 모를 춤을 추고, 정상 부근의 정자에 앉아 인스턴트 커피를 얻어 마신다. 계

절마다 코스와 루틴이 살짝 달라지기도 하고, 기분에 따라 선택하는 갈림길이 달라지기도 하지만, 거의 복사해서 붙여넣기 수준의 매일이다. 다만, 장르는 매일 다르다. 십이지만큼 꼽으라고 해도 꼽을 수 있을 만큼.

자. 쥐를 형상화한 똘기는 위아래가 붙어 있고 발목이 조이는 형태의 흰색 도복 차림에, 파란색 조끼를 걸친 차림이고, 빨간색 썬캡 양 옆으로 큰 귀가 튀어나와 있다. 왼손 장갑 손등에 파란 구슬을 착용하고 있다.

"삼촌은 왜 마스크를 안 썼어?"

다섯 살 난 아이가 지난번엔 '삼촌 한쪽 눈은 왜 그러냐' 묻더니, 이번엔 마스크 타령이다. 보통 때 같으면 토끼 새초미처럼 귀엽다는 둥, 호랑이 호치처럼 씩씩하게 자라라는 둥 제법 어른 흉내를 내었을 H가 뒤도 안 돌아보고 휘릭 가버린다. H의 엄마가 '삼촌은 마스크를 쓰면 말을 못 한다고 생각을 한다'고 말해주니 아이가 H의 등에 대고 외친다.

"삼촌! 마스크를 써도 말은 할 수 있어!"

H가 어느새 목 두건으로 입을 스윽 가린 채, 똘기처럼 똘똘한 녀석이라며 다음에 만나면 여의봉 하나를 선물해줘야겠다고 중얼거린다.

축. 소를 형상화한 띵이는 노란색 도복 차림에 주황색 조끼를 걸친 차림이고, 머리 양쪽에 뿔이 나 있다. 조끼 사이를 엑스자로 연결하는 끈 아래에 파란 구슬을 착용하고 있다.

"친구야~~!!"

같은 아파트에 살다가 옆 동네로 이사 간 아저씨에게 H가 황소처럼 들이박을 듯 달려가 와락 끌어안으려 한다. 평소 아저씨는 H가 뿔이 났든 기분이 좋든 변함없이 웃으며 인사를 건넸고, 늘 최고라며 엄지를 치켜들곤 했다. 처음엔 시큰둥하던 H의 마음을 녹인 건 그런 한결같음 때문일 것이다, 아저씨에 대한 호칭이 어느 날 '친구'로 바뀐 것은. 코로나가 극성이라 아저씨가 난감해하며 주먹만 살짝 쿵 부딪치며 지나치자, H가 서운해한다. "뉘신데, 저를 아십니까?" 하며 능청을 떨 땐 언제고.

인. 호랑이를 형상화한 호치는 후드 모자가 달린 연두색 도복 차림에 녹색 망토를 두르고 있다. 망토는 엉덩이 아래까지 내려오고, 반소매 아래로 팔 근육이 드러나 있으며, 왼쪽 팔 위쪽에 파란 구슬을 착용하고 있다.

"통행세?!"

H가 뒷산에서 마주하는 모든 사람들 앞을 두 팔 벌려 가로막으며 통행세를 내라고 한다. 새롭게 만든 놀이로, "어흥~!!" 하고 울부짖는 건 옵션이다. H가 벌린 팔 사이를 무심히 피해 지나는 사람이 있는가 하면, 어떻게 하나 고심하다 손 내미는 아들과 손바닥을 마주치고 지나가는 사람, 목을 살그머니 안아주고 가는 사람, 허허 웃으며 등을 쓸어 내려주는 사람도 있다. 어느 날엔 H가 먼저 악수를 청하기도 하는데, 사람들은 주먹을 부딪치거나, 가던 길을 되돌아와 팔꿈치를 부딪치기도 하고, 엄지를 치켜들기도 하며, 의아하게 쳐다보면서 지나치기도 한다. 다채로운 통행세다.

묘. 토끼를 형상화한 새초미는 진분홍색 짧은 치마에 연분홍색 반소매 상의, 빨간색 조끼 차림이고, 머리 위로 하얗고 큰 귀가 솟아 있다. 눈은 빨간색이고, 허리 아래까지 내려오는 긴 머리는 연보라색이며, 왼쪽 가슴에 파란 구슬을 착용하고 있다.

"안녕하세요~"

마주 오던 사람의 인사에 H의 엄마가 대답 없이 목에 건 팻말을 가리킨다. '안녕하지 마세요'라 쓴 팻말이 걸려 있다. 사람들이 인사를 건네면 H가 눈에 핏줄이 서도록 인사하지 말라고 으름장을 놓는다 하길래, J가 그렇다면 '안녕하지 말라'고 써 붙이고 다니라 해서 엄마가 만든 팻말이었다. 팻말 반대쪽에는 '반갑습니다'가 적혀 있다. 봄날의 토끼처럼 폴짝거리며 먼저 인사하는 날을 위함이랄까. 이렇듯 변덕이 죽 끓듯 하는 H의 등에 대고 엄마가 노래를 만들어 부른다.

"골났다, 성났다! 호박죽을 끓여라~ 너 먹자고 끓였니? 나 먹자고 끓였지!"

진. 용을 형상화한 드라고는 구름 위에 가부좌 자세로 앉아 있고, 상아색 도복 차림에 빨간색 짧은 망토를 걸치고 있으며, 머리에는 터번을 두르고 있다. 피부는 녹색이고, 망토에 달린 리본 중앙에 파란 구슬을 착용하고 있다.

"엄마, 저 녀석이 나를 보고 시건방지게 웃는다?!"

H가 어흥~ 호랑이 소리를 내자 운동 기구에서 운동을 하던 청년이 웃었는지, H가 엄마에게 고자질을 한다. 그러자 청년은 "마흔이 넘은 어른에게 '시건방지게'라니 말버릇이 뭐냐?!" 되묻고, H는 "난 42살."이라고 대꾸한다. 청년이 "아이고, 형님이네~" 하고 웃는 바람에 일촉즉발이던 분위기가 누그러진다. H가 거의 유일하게 아는 욕이 "새끼야!"인데, H가 툭 내뱉은 말 때문에 기분이 상해 H의 엄마 앞에서 H를 때려도 되냐고 묻던 사람보단 그래도 낫다. 청년이 가고 나서도 H는 계속 구시렁거리며 누가 잘못한 거냐고 엄마에게 묻는다. H가 어린아이처럼 호랑이 소리를 내어 어른답지 않은 게 문제라 했더니, H 왈. "그럼 쌍방과실이네." 돗자리 깔고 드라고처럼 가부좌라도

틀어야 할 것 같은, 장유유서와 동방예의지국의 뒷산이다.

사. 뱀을 형상화한 요롱이는 다리 대신 꼬리가 보라색 마법사 망토 아래로 드러나 있다. 손 대신 흰색 장갑이 허공에 떠 있으며, 남색 박사모에 분홍색 안경을 쓰고 있다. 망토 목 부분을 여민 줄 중앙에 파란 구슬을 착용하고 있다.

"남자의 마음은~ 갈대랍니다~♪"

뱀이 똬리를 틀 듯 배배 꼬인 H의 테마송이다. H는 온갖 거에 짜증을 낸다. '바람이 늦잠을 자느라 일을 하지 않아 덥다'고 짜증을 내는가 하면, '동네 주민이 자축인묘를 모른다'며 짜증을 내고, '아침밥을 먹은 다음엔 점심을 먹고, 또 저녁을 먹어야 한다'며 짜증을 낸다. 사람들이 자신의 무술을 봐주지 않는다고 짜증을 내고, 말을 걸었다고 짜증을 내며, 엄마에게 '고생한다' 말했다고 짜증을 내고, 아무 이유 없이 짜증을 내기 위해 짜증을 낸다. 물론 짜증이 동면에 들어가 평화로운 나날들도 간간히 있다. 내일은 내일의 짜증이 또 찾아오겠지만.

오. 말을 형상화한 마초는 주황색 도복에 목에는 빨간색 두건을, 이마에는 노란색 머리띠를 두르고 있으며, 고동색 부츠를 신고 있다. 파란 조끼 왼쪽에 파란 구슬을 착용하고 있다.

"나의 팬들이 오늘은 집에서 꿈쩍도 하지 않나 보네."

그렇다. H에게는 팬들도 있다. H가 앉아 쉬는 벤치에서 여러 번 만난 아주머니들과 안면을 튼 다음부턴 H가 여의봉을 휘두르며 보여주는 무술에 아낌없는 박수와 환호를 보내주곤 한다. 좀처럼 받을 수 없었던 갈채에 맛을 들인 걸까, 팬을 만나지 못한 날엔 H의 어깨가 조금 처진다. 그러다 오랜만에 팬을 만나 무술 시연을 부탁받으면, 평소보다 H의 입과 팔에 기합이 팍팍 들어가 망아지처럼 날뛴다. 팬의 박수를 받고 의기양양해진 H가 엄마에게 잠깐 수다 떨고 오라며, 먼저 자리를 뜨는 선심까지 베푼다. 팬이 엄마에게 '자신의 아들도 한쪽 눈이 보이지 않는데, 몸과 마음이 모두 병들어 자신보다 아들이 먼저 하늘나라로 가기를 바란다'며 속을 털어놓는다. '그래도 함께 하는 지금이 좋은 거 아니냐'며 H의 엄마가 위로를 전하고, 저만치 멀어져가는 H에게 서둘러 달려간다. H의 엄마가 헉헉거리면서 '숨이 하늘에 닿아 숨을 못 쉬겠노라'고 하니, H가 그런 말이 어디 있느냐고 엄마의 등을 두드려주면서 '죽지 말라' 한다.

미. 양을 형상화한 미미는 민트색 미니 원피스에 흰색 세일러복 재킷을 걸치고, 목에 주황색 리본을 달고 있다. 몽실몽실한 머리는 분홍색이고, 리본달린 분홍색 신발을 신고 있으며, 주황색 리본 중앙에 파란 구슬을 착용하고 있다.

뒷산을 오르기 위해 아파트 후문을 나서는데 관리소장이 다가와 드링크 음료를 건넨다. 때마침 심술을 부리던 H가 "나 같은 게 뭐라고 챙겨 줄까." 하며 홀짝홀짝 마신다. 다 마신 H는 관리소로 들어가 인사치레를 한다. "내가 뭐라고 챙겨 주시니 고맙습니다." 양처럼 몽실몽실한 H의 말에 관리소장의 눈이 휘둥그레진다. 올 명절에도 J는 관리소에 작은 선물을 건넬 것이다.

신. 원숭이를 형상화한 뭉치는 긴 막대기를 들고 근두운 앞에 서 있다. 위아래 짧은 연회색 한복에, 빨간색 마고자 차림이며, 양 볼에는 빨간 솜 같은 털이 나 있다. 마고자 왼쪽 가슴에 파란 구슬을 착용하고 있다.

뒷산 계단 교체 공사가 한창이다. 코스를 변경해야 하니 사고뭉치 원숭이인 H가 말썽을 부릴 게 분명한데 웬일로 "아이구~ 수고하십니다~" 하며 인부들에게 넉살 좋게 인사를 건넨다. 그리고는 엄마에게 간식으로 가져온 초코파이를 드리라 손짓한다. H를 기억하는 한 인부가 임시로 길을 만들어준 다음, 손을 잡아 이끌어 주면서 "고맙다. 잘 먹을게~" 하자, H도 "별말씀을요." 화답한다.

유. 닭을 형상화한 키키는 두 가지 모습이다. 인간화된 모습은 짙은 보라색 민소매 도복 차림에, 노란색 부츠를 신고 있다. 머리는 빨간색과 주황색이 섞인 단발이고, 손목에 깃털 장식이 달려 있다. 닭에 가까운 모습은 흰색 날개와 풍성한 꼬리, 노란 부리를 지니고 있으며, 벨트 중앙에 파란 구슬을 착용하고 있다.

"이렇게 살다가는 제명에 못 죽지."

꼴까닥 소리를 내는 H 때문에 엄마가 꼬꼬댁 꼬꼬거리며 결국 웃고 만다. H가 섹시한 키키 흉내라며 허리 돌리기를 한다.

술. 개를 형상화한 강다리는 하늘색 도복에 파란색 쾌자를 걸치고, 여의봉을 들고 있다. 무릎까지 오는 도복 아래는 발목까지 붕대로 감고 있으며, 황토색 머리에 갈색 귀가 늘어져 있다. 파란 구슬은 쾌자 중앙에 착용하고 있다.

수많은 반려견들과의 만남도 빠질 수 없다. H와 엄마가 "안녕~" 인사해도 못 들은 척 미동 없이 갈 길만 가는 녀석을 만날 때면 H는 '왜 그냥 가느냐'고 있지도 않은 꼬리를 축 늘어뜨린다. 말도 걸지 말라고 짖는 녀석도 있다. 주인은 짖지 말라 타이르기도 하고, 때론 안고 지나면서 '개가 겁이 많아서 그런다'며 서운해하는 H의 마음을 위로해준다. 그러다 꼬리를 흔들며 반기는 녀석을 만나면 H가 '지금껏 차였는데 반갑고 고맙다'며 한참을 쓰다듬는다.

대부분의 견공들이 인간보다 이해심이 넓다.

해. 돼지를 형상화한 찡찡이는 에메랄드색 도복에, 챙이 넓은 노란색 모자를 쓰고 있다. 몸통만한 파란 구슬이 배 중앙에 자리하고 있다.

"엄마! 이게 인생의 맛이지~"

자주 마주치던 부부가 직접 만든 거라며 도토리묵을 건넨다. 평상에 누워 돼지처럼 나온 배를 두드리며 세월놀이를 하던 H의 눈이 커지더니 벌떡 일어나 받아든다. H가 오늘 저녁 메뉴는 도토리묵이라며 '인생의 맛' 운운을 한다. 컵라면과 인스턴트 커피를 보부상처럼 등에 지고 가서 정상 커피 아저씨들에게 드릴 때 했던 말이기도 하다. 매번 정상 부근 정자에 앉아 커피를 얻어 마시니 H가 '보답'이라며 드린 선물이다. 물론, 마트에서 사 오고 인터넷에서 주문하는 건 엄마와 J의 몫이다.

●

액션 장면을 연구하기 위해 무협 소설을 읽던 J가 퍼뜩 정신을 차린다. 참고할 만한 문장을 수집한다는 게 어느새 스토리에 폭 빠져 주인공과 함께 무술을 휘두르고 있었다. 드라마와 다큐멘터리가 다르고, 애니메이션과 예능이 다르지만, 드라마 중에서도 사극과 현대물은 다르고, 다큐멘터리 중에서도 휴먼 다큐와 자연 다큐는 다르다. 애니메이션도 시청 연령대별로 다르고, 예능도 관찰 예능과 버라이어티 예능이 다르다. 화면에 보이는 대로 해설하면 되지 않나 싶지만 보이는 게 다르고, 사람들이 보는 것도 다른 법이다. 아예 분야가 다른 미술작품이나 공연, 그림 동화책 작업은 또 다른 세계다. 광범위한 장르의 바다는 마치 H 같아서 J도 엄마처럼 순간순간 대처해나가는 수밖에 없다. 매일 똑같이 오르는 뒷산이지만 어제와 오늘이 다르고, 오늘과 내일이 다른 것처럼 매일 쓰는 화면해설도 마찬가지다. 어제와 오늘이 똑같아 보이는 H지만 가끔 생각지 못한 성숙함을 보여주는 것처럼 어제와 오늘이 똑같아 보이는 대본도 쌓이고 쌓이면 작가로서의 J도 조금씩 성장하리라 믿는다. J의 〈꾸러기 수비대〉 캐릭터 해설을 H가 마음에 들어할 지 모르겠다.

오늘도 벌러덩 누워 툴툴거리는 H에게 엄마가 부채질을

해주면서 배 위를 두드린다. ‘도레미파솔라시도’ 음계를 멋대로 붙여서 노래를 부르자 H의 웃음보가 터진다. 한참을 웃던 H는 여전히 누운 채 하늘을 보며 엄마에게 따라 해보라고 말한다.

“인생 따라 구름 따라, 결국 인생은 구름 따라갑니다.”

제13화 한계

"날을 잡았구나."

J가 망연자실해 하며 예능 프로그램 영상을 본다. 눈짓과 표정으로 단어를 설명해서 알아맞히는 게임을 할 때부터 알아봐야 했다. 탁구를 할 때도, 오목을 둘 때도, 하다못해 팽이를 돌릴 때도 '어디까지 하나 해보자' 하는 마음으로 이를 악물고 해설을 했다. 그런데 안무 보고 노래 제목을 맞히라니. 상황이 빠르게 돌아가고, 웃음 타이밍이 중요한 예능에 게임이 빠질 수는 없겠지만 한 회차를 해설하는데 순수 작업 시간만 10시간 이상 걸리다 보면 진이 빠져버린다. 출연자의 눈썹이 오르락내리락 거리고, 오만상을 찡그렸다 펴고, 입술이 기묘한 모양으로 비틀리는데, 무어라 설명할 틈도 없이 순식간에 지나가 버린다. 탁구공은 '상대편으로 넘어간다'고 말하는 사이에 벌써 돌아왔다 다시 넘어가고, 오목은 규칙을 안다는 전제 하에 해

설을 해도 우연이 겹쳐 3-3이 되기도 하며, 팽이는 빙글빙글 돌아 어떤 식으로 다른 팽이를 공격하는지, 팽이를 감은 줄은 어떠한 묘기를 부리는지, 출연자들이 감탄만 하지 말고 중계도 해줬으면 하는 마음이 절로 든다. 그런데 거기다 한술 더 떠 안무를 보고 노래 제목을 맞히라니. 일단 안무의 포인트를 잘 잡아야 하지만, 그 포인트를 말로 형용할 수 없는 몸짓으로 흉내 내는 출연자에 대한 웃음 포인트도 잡아야 한다.

'한계겠지.'

J가 '배리어 프리'라는 이름을 단 공연을 보며 혼잣말을 했다. 코로나 시대에 행해졌던 긍정적인 시도 중 하나는 배리어 프리였다. 온라인 상영이 많아지면서 자막이나 수어, 해설 등이 들어가기 시작했다. 그동안 극장에서 자막이나 화면해설이 나오는 배리어 프리 버전은 크게 개방형과 폐쇄형으로 나누어 상영을 하곤 했는데, '배리어 프리'라는 개념을 알리고 홍보하기 위한 '가치봄' 영화는 비시각/비청각장애인이 개방형으로 함께 관람하기에 솔직히 불편한 점들도 있다. 자막이 나오니 나도 모르게 시선이 가고, 화면해설이 끊임없이 들리니 익숙하지 않은 상황에

서는 정신이 없달까. 애초에 시/청각을 한데 묶어 제도나 기술에 대해 접근하는 것도 이상하긴 하다. 또한 J는 '배리어 프리'라는 단어가 영어라 직관적이지 않다 보니, 사람들이 받아들이기에 거부감이 덜하고 소위 '있어' 보여 유행하는 건 아닌지 씁쓸하기도 하다.

어쨌든 방송사들은 20년이 넘도록 화면해설의 질은 떨어뜨리고 양은 줄이려고 여전히 옥신각신하고 있는데, 공연계는 과감히 새로운 시도를 해나갔다. 무대 중앙이나 가장자리에 스크린을 설치하거나 좌석에 달린 모니터에서 자막을 실시간으로 송출하기도 한다. 수어 통역사가 무대 한편에서, 혹은 배우와 함께 동선에 따라 움직이며 수어로 연기를 하는 공연도 있다. 하지만 시각장애인을 위한 해설은 여러모로 자막이나 수어보다는 제약이 많다. 실시간 해설이 쉽지 않고, 미리 제작을 한다 해도 라이브로 펼쳐지는 공연의 대사 사이에 맞춰 송출하는 건 불가능하기 때문이다. 어제 공연과 오늘 공연의 오차가 10초밖에 나지 않았다고 해도, 10초면 해설 문장 하나가 통째로 들어갈 수도, 빠질 수도 있는 시간이다. 따라서 미리 녹화된 공연에 해설 대본 작업 및 성우 더빙을 얹어 온라인 송출을 하는 방법이 그나마 완성도가 제일 높을 수밖에 없는데, 그게 바로 방송사의 화면해설 제작 시스템이기도 하다. 하지만 공연 제작에 그러한 시간적 여유가 늘 있는 것도 아니고, 공연은 화면이 아니라 실제 공연장에서 보는 것에 의의가 있지 않던가. 그렇다 보니 '배리어 프리'를 내걸었지만, 막상 보면 자막이나 수어에 비해 시간과 비용이 더 들 수밖에 없는 시각장애인을 위한 해설은 빠져 있는 경우가 빈번하다. 부디 당연한 문화로 자리 잡고, 영역과 비중 역시 넓어지길 바라는 수밖에 없지만.

그런 와중에 J는 기대감을 품고 개방형 해설을 한다는 공연을 보러 갔다. 화면해설 10년 이상 경력의 작가를 데려다 놓아도 공연 해설은 쉽지 않을 터인데 어찌 풀었을지 궁금했다. 결과는 당연하게도(?) 공연 해설은 기대 이하였지만, 애초에 대본을 쓸 때부터 해설을 감안했다는 것 자체에 J는 높은 점수를 주기로 했다. 그 공연은 배우가 연기하는 중간중간 해설사처럼 짤막하게 덧붙이는 형식으로 해설을 했다. 하지만 아무리 자세히 설명을 해주고 싶어도 시간적 한계가 생길 수밖에 없다. '니콜라스가 허리를 숙이고 양팔을 펼친다'라고 해설해준다 한들, 동시에 다른 배우는 무엇을 하고 있는지, 동시에 들린 소리의 정체는 무엇인지, 그 순간의 무대와 조명은 어떠한지…. 그러한 면에서 해설은 취사선택의 연속이라는 삶과 무척이나 닮아있다. 무언가를 함께 보아도 사람마다 보는 게 다르듯, 해설도 작가에 따라 꽤 많이 달라지곤 한다. 그렇지만 공연 시작 전, 주의 사항 및 비상시 탈출 안내를 하며 비상문의 위치를 박수 소리로 알려주는 건 세심한 고민의 흔적처럼 느껴졌다. 그저 자화자찬에 선심을 베풀 듯 배리어 프리를 붙인 건지, 정말 장애인과 비장애인이 함께 공연을 즐길 수 있길 바라는 마음인 건지는 그러한 부분에서 드러나기 마련이다. 하지만 한계가 시도를 멈추는 이유가 되어서는 안 된다고, J는 어둠 속에서 고개를 작게 끄덕였다.

●

'저걸 과연 웨이브라고 묘사해야 하는가, 아니면 허리 돌리기라고 해야 하는가.'

한창 춤 묘사의 한계에 허덕이던 때였다. H의 춤을 보던 J는 자신도 모르게 고민에 빠졌다. 쌍둥이인 J와 H의 생일을 맞아, 함께 뒷산에 오른 날이었다. H가 여느 때처럼 여의봉을 휘두르며 무술을 한 다음, 키키(닭)처럼 웨이브를 추는 거라는데, 저건 꿀렁꿀렁이라 하기에도 어렵겠다고 J는 중얼거렸다. 생일이 있는 10월이 되기 전부터 생일 타령을 하던

H였다. 생일에 무얼 해줄 거냐는 H의 말에 엄마가 불고기와 미역국을 차려줄 거라 하니, 정말로 두 개뿐이냐고 되묻더란다. 엄마는 모르는 척 하려다 케이크는 동생인 J가 사 올 거라 했더니 H가 피식 웃으며 '이제야 완전체'라고 뿌듯해했다. 그리고 생일날 함께 뒷산에 오를 심산으로 J의 것까지 여의봉을 준비하느라 H는 늦게까지 작업을 했단다. 그 말을 엄마에게 전해 들은 J는 결국 아침 일찍 본가로 향한 날이기도 했다.

"못 온다더니?"

생일날 아침, 엄마가 두 팔 벌려 H를 안아주고 볼에다 방구 뽀뽀를 해주며 동생이 오고 있다는 말을 전해주자, H의 눈이 휘둥그레진다. H가 늦게까지 J의 여의봉을 준비했다는 말을 듣고, J도 밤새 작업을 마친 다음에 오는 거라며 엄마가 추가 설명을 덧붙인다. "뭘 그렇게까지~" 하는 H의 입꼬리가 스윽 올라간다. H와 J가 함께 산을 오르는, 1년에 몇 번 되지 않는 행사에 엄마도 신이 나서 만나는 사람마다 J를 소개하고, 오늘은 쌍둥이 생일이라고 동네방네 소문을 낸다. 정상 근처, 항상 쉬어가며 커피를 마시는 정자에서는 커피 아저씨들이 생일 축하 노래까지 불러준다. 비록 엄마가 미리 몰래 준비한 초코파이 케이크에 초 하나를 밝힌 것이지만, 예상치 못한 축하에 H는 겸연쩍어하면서도 평소보다 힘을 주어 무술을 선보인다.

“좋은 날 되시고, 고맙습니다.”

격식에 맞춰 인사까지 마친 H가 기분 좋게 하산한다. 내려오는 길에 만나는 사람들에게는 H가 먼저 선수를 치기도 한다.

“우리 엄마 딸랑구고요, 오늘은 쌍둥이 생일이에요. 우리 엄마는 행복하대요.”

무사히 하산하여 점심은 배달 음식을 주문해 먹고, 저녁에는 불고기와 미역국을 먹은 다음, 또다시 케이크에 촛불을 켠다. 1타 2피로 해치운 생일 파티에 J는 H에게 생일 선물을 건넸다. 전자 손목시계가 고장 난 터라, 다양한 색깔의 전자 손목시계를 여러 개 선물하자, H는 시큰둥한 척하며 올해도 자기는 ‘마음의 선물’을 주겠단다. 마음의 선물을 받은 J가 돌아가고 나서야 H는 앞으로는 요일별로 시계를 바꿔 찰 수 있겠다며 엄마에게 “참 좋다~” 자랑을 한다. 그리고 J가 돌아가 허전해하는 엄마에게 '내일은 엄마랑 나랑 둘이 행복한 산행을 하자'고 손가락을 내밀어 약속한 다음, 한숨을 쉰다.

"생일도 지나가고 이제는 무슨 낙으로 살아가나~"
"엄마 생일이 남아 있잖아?!"
"엄마 생일엔 '해피 버스데이 투 유'만 하면 되지."
"그건 왠지 도둑놈 심보 같은데?"
"사는 게 다 그런 거야~"

H는 사회적 기준으로 볼 때 한계가 많은 사람이다. 할 수 있는 것보다 하지 못하는 게 훨씬 많다. 하지만 그렇다고 해서 H가 살아가기를 멈추진 않는다. 우리는 모두 각자의 어둠과 한계 속에서 살아가고 있고, 간절히 뻗은 손이 맞닿는 순간이 가끔 있을 것이다. 화면해설은 그 잠깐의 온기와 같은 걸 거라고 생각한 J는 수상 스포츠 래프팅을 하고, 링 위에서 베개 싸움을 하는 오늘의 작업 장면을 멍하니 본다. 한계는 한계일 뿐, 마감은 마감이다.

데프콘　　속담. 시작!

사공이 많으면 배가 산으로 간다.

데프콘　　~~자, 준비.~~ 오케이.

호동이 카리나에게/ 배를 그리고 노를 저으며 말하다가,
점프하는 시늉을 한다.

데프콘　　~~1, 2, 3….~~ 농구 아냐, 농구?

다시 노 젓는 호동.

데프콘　　속담 모르는데? 보니까. 미안한데, 사과할게.

카리나가 당황해한다.

호동　　그대로 표현해주면 돼. 요거, 요것만 말해.

카리나가 상민에게 네모를 그리고 팔을 흔든 다음,
말하는 시늉을 한다.

예능 <아는 형님> 화면해설 대본 中

제14화 삼겹살 내리는 새벽

화면해설 작가가 된 이후로 비가 내리는 날이면 J는 늘 그 이야기를 떠올린다. 드라마에서 두 인물이 대사 없이 묵묵히 고깃집에서 삼겹살을 굽는 장면이 있었단다. 한 시각장애인 분이—화면해설 없이—그 드라마를 시청하다가 그 장면에서 비가 오는 줄 알았다는 것이다. 듣고 보니 삼겹살 굽는 소리와 빗소리가 꽤나 닮은 것도 같다. 하지만 비가 내리는 것과 고기를 굽는 행위에는 크나큰 차이가 있다. 화면해설이 있었다면 그런 착각은 하지 못했을 텐데…. 그 이야기를 들은 이후부터 J는 자주 눈을 감고 영상을 보곤 한다. 드라마든, 다큐든, 예능이든, 영상 속에서 나는 소리가 많다는 건 알고 있었지만, 눈을 감고 듣다 보면 생각보다 훨씬 많음을 느낄 수 있다. J는 이 일을 한 뒤로 '볼 수 없어도 들으면 알 수 있지 않냐'는 말을 꽤 들어왔다. 물론 우리는 너무 많은 말을 하며 살아가지만, 동시에 필요한 말은 하지 않고 살아가기 때문에 저런 말은 어불성설일 뿐이다. J도 화면해설을 쓰기 전에는 예능 프로그램에서 그렇게 많은 효과음이 나오리라고는 상상도 해본 적이 없었다. 우리는 각자의 평행 세계에 살고 있으니까. 그러고 보면 화면해설은 소리와 묵음의 경계에 있는 세계다. 말이 아닌 다른 소리가 날 경우, 그 소리의 정체가 무엇인지 밝히는 것이 기본이되, 그 설명을 소리가 없는 묵음, 혹은 무시하고 덮어도 되는 소리 틈에 해야 한다. 그러다 보면 영상 처음부터 끝까지 소리로 꽉 차게 돼서 화면해설을 처음 들으면 피곤할 수 있다. 끝없이 소리가 나오고, 끊임없이 해설이 나오니까. 그렇게 소리의 빈 틈마다 꾸역꾸역 해설을 집어넣던 J는 어느 순간, 쉬어가는 흐름이라는 걸 생각하게 되었다. 강의가 아닌 이상—설령 강의라 할지라도—영상을 처음부터 끝까지 1초도 놓치지 않고 몰입하여 보기는 쉽지 않다. 방송 프로그램도 소설의 기승전결처럼 몰아치는 순간이 있고, 숨을 고르는 순간이 있듯이 화면해설 역시 그 흐름의 파도를 타야 듣는 사람이 덜 피곤해진다. 물론 그리 구현한다는 것은 또 다른 문제다. 3초 이상의 공백이 생기면 불안해지고, 그 흐름의 파도라는 게 공식이 있는 것도 아니라서 계속 시행착오를 겪으면서 숙련도를 쌓을 수밖에 없다고나 할까. 수많은 효과음과 더불어 컴퓨터 그래픽 CG도 J에겐 만만찮은 골칫덩이다. 이상한 효과음과 함께 CG가 순식간에 지나가 버리는데, 설명할 틈도 없이 다른 소리들이 이어지곤 하기 때문이다. 잠깐 시간을 멈추고 설명할 수 있으면 얼마나 좋을까 싶다가도, 설명을 덧붙여야 하는 농담은 이미 실패한 농담이 아닌가 싶을 때도 있다. 하지만 구질구질해도 좋다. 하나라도 더 해설을 해주고 싶다. 그러나 또 한편으로는 과유불급이라 하지 않던가. 세상사 균형을 맞추며 사는 건 화면해설 세계에서도 어려운 법이다.

●

비가 내리는 날이면 J는 삼겹살과 빗소리를 떠올리는 동시에 H의 엄마와 H도 생각한다. '비가 너무 많이 내리면 뒷산에 오르기 힘들 텐데…, 미끄러울 텐데…, 우산을 쓰면 시야가 좁아질 텐데 하며….' 하는 걱정이 뚝뚝 떨어진다. H는 말 그대로 비가 오나, 눈이 오나, 바람이 부나, 1년 365일 뒷산 오르기를 거른 적이 없다. 눈 수술 이후 퇴원해서 집에 오자마자 뒷산에 올랐을 정도니, 이건 설득이나 강제로 해결할 수 있는 문제가 아니다.

"응, 지금은 거의 오지 않고, 바람에 빗방울만 떨어지는 정도야."

J가 떨어지는 빗방울은 나무가 흘리는 침이라고, 오랜만에 온 비를 머금은 나무가 맛있어 흘리는 것이라고 우스갯소리를 하자, 엄마가 한참을 웃는다. J가 뿌듯해하며 전화를 끊는다. 엄마를 웃게 해 주었으니 오늘 뒷산을 오르며 H가 힘들게 해도 버틸 수 있는 힘이 조금은 더 생겼을 것이다. H는 기분이 좋다가도 순식간에 변해버리는 카멜레온이니까. H는 원래도 귀가 예민했지만, 눈 수술 이후에는 더더욱 예민하게 반응하곤 하는데, 지나치는 모든 이들의 말이 자기한테 향하는 것도 아님에도 흥분하며 반응하기도 하고, 엄마나 TV에서 들은 말을 기가 막히게 기억하고 있다가 적재적소에 써먹기도 한다. 밥을 주는 길냥이가 아무리 작게 야옹거려도 그 소리를 알아채는 건 늘 H다. 그런 H에게 세상은 얼마나 많은 소음과 소리로 이루어져 있을까.

"준비~ 땅!!"

H와 엄마가 매일 뒷산을 오르내리면서 헤어졌다 다시 만나는 짧은 코스가 세 개쯤 있는데, 언제나 헤어지고, 변

함없이 만나곤 한다. 집에 거의 다다를 즈음 나오는 마지막 이별 코스에서 H가 뜀박질을 한다. 엄마는 다시 만나는 시점에 서서 출발 신호를 보내고 '하나… 둘… 셋…' 초를 센다. H가 겅중겅중 뛰어온다.

"오늘은 11초!"

엄마가 선포를 하며 최고의 기록이라고 엄지를 치켜들면 H는 좋아하며 내일은 10초로 단축해 보겠노라 큰소리를 친다. 고작해야 50m 남짓한 길이지만 H의 엄마는 그게 이별 연습 같다고 입버릇처럼 말하곤 한다. H가 만날 하는 세월 놀이처럼 일요일이 가면 월요일이 오고, 월요일이 가면 화요일이 오고, 화요일이 가면 수요일이 오듯이, 그 길이가 영원히 벌어질 날이 언젠가 올 것이다. H가 콧물을 닦아주는 엄마를 물끄러미 보다 말을 툭 던진다.

"엄마는 참 바쁘다. 사는 게 다 그런 거지, 뭐. 행복하다~ 생각하고 살자. 내가 북 치고 장구 치고 다 하지? 잘난 아들 덕에 엄마는 행복한 거야~"

J는 종종 재난이 벌어지는 꿈을 꾼다. 매번 꿈속에서 J도 H와 헤어지고, H를 놓치고, H를 외면하다가, 늘 구하러 간다. 나 살겠다고 H의 손을 놓았다가도, 결국 끝끝내 달려가는 꿈에서 깨어나면 J는 먹먹해지곤 한다. 그런 새벽에 비가 내릴 때면, 가끔은 모든 걸 끝내고 그리워만 하고 싶다는 생각도 한다. 그리고 그런 어둠이 J의 심장을 잡고 질척거릴 때 J는 빗소리를 삼겹살 굽는 소리라 생각하기로 했다. 삼겹살 굽는 소리를 들으며 '사느냐 죽느냐, 그것이 문제로다' 하기란 쉽지 않은 법이니까. H도 잠자리에 일찍 들었다가 한밤중에 일어나 하루를 시작할 때가 있다. 그럴 때면 하룻밤에 몇 번이고 깨는 엄마가 H에게 '조금 더 자야 아침 해가 뜬다'고 말해주며 잠자리를 다시 봐주곤 한다. 그러면 H는 침대에 다시 누우며, '밤이 왜 이리 기냐'고 툴툴댄다. 엄마가 그런 H의 볼에 방구 뽀뽀를 해주며, '그러려니~ 생각하고 어여 꿈나라로 여행이나 떠나라'고 입막음한다. 방구 뽀뽀를 당해낼 심술은 없는 법이고, 그렇게 또 하나의 새벽을, 인생을 희극으로 만들어간다.

셔		악을 정화하는 불멸의 새. 파이어 호크!!

상공으로 솟아오르는 불새를 시퍼런 칼날이 감싸고,
연계된 필살기가 빅 베어를 향해 돌진한다!
커건도 포효하는 곰의 이빨과 발톱을 드러내며,
필살기를 쏟아낸다.

커건		비, 빅베어가! 이런! 우와아아악!!

세 사람 모두/ 충돌의 여파로 나가떨어진다.
(션이 몸 일으킬 때) **션이 몸을 일으키며,**
박살난 빅 베어를 바라본다.
빅 베어의 프로펠러가 멈춘다.

션		어.. 우리가 이겼어. 해냈다구!

애니메이션 <에어로버> 화면해설 대본 中

제15화 동물의 왕국

〈동물의 왕국〉은 J가 좋아하는 다큐멘터리였다. 어릴 적부터 〈동물의 왕국〉 시그널 음악을 들으며 자랐고, 뒷발로 푸다닥 뛰는 목도리도마뱀을 보며 따라 하기도 했으며, H와 소꿉놀이를 할 때도 늘 동물 인형을 가지고 놀았다. 화면해설 작업을 하기 위해 오랜만에 〈동물의 왕국〉 영상 앞에 앉은 J는 새삼 동물 털 인형 하나하나에 이름을 붙여주었던 기억이 떠올랐다. 하지만 화면해설 대본을 쓰기 위해 접한 〈동물의 왕국〉은 전혀 다른 프로그램으로 다가왔다. 일단 동물은 인간의 말을 하지 않는다. 그들은 울음소리를 내거나, 그들만이 알 수 있는 신호를 보내거나, 행동을 한다. 그 말인즉슨, 화면에 흘러나오는 그 모든 소리와 행동들을 설명해주어야 한다는 뜻이다. 암컷인지 수컷인지 구분도 안 되는 동물이 새끼를 위해 먹이를 구해왔을 때는 어미라 해야 할지 아비라 해야 할지, 늑대 무리가 패싸움을 하며 뒹굴 땐 어찌해야 할지, 그 무엇도 닮지 않은 난생처음 보는 저 동물은 도대체 어떻게 설명해야 할지, 나무늘보처럼 자체 슬로우 모션이 걸려 있는 동물 같은 경우 설명하고, 하고, 또 했는데도 고작 1미터도 움직이지 않았을 때는 어찌해야 할지 등등 J에겐 너무나 높고 어려운 산이 되어버린 것이다.

아프리카 들개인 리카온이 사냥을 나선다. 그 무리는 까마득히 멀리 보이지도 않는 사냥감을 하루 종일 뒤쫓는다. 카메라가 리카온을 뒤에서 잡고, 옆에서 잡고, 상공에서 잡는다. 그들은 영상 10분 전부터 계속 달리고만 있다. 주변 풍경이라고는 끝없이 펼쳐진 초원 위의 덤불뿐이다. 하다못해 구름도 없다. 그럴 경우, '그 동물에 대해 검색을 해서 백과사전에 나오는 정보를 긁어다 붙이면 안 되냐'는 질문을 받은 적이 있다. J가 되물었다. 그러한 정보가 화면에 나오는가? 크기나 몸무게, 생태 습성 등이 자막으로 나오면 당연히 자막 고지를 해주겠지만, 그렇지 않을 경우엔 월권이다. 화면해설 작가는 눈에 보이는 화면을 해설해주는 작가지, 화면 밖의 정보를 '시혜를 베풀 듯' 친절하게 설명해주는 사람이 아니기 때문이다. 그리고 검색해서 나오는 정보는 시각장애인 또한 검색해서 알 수 있지 않은가. 화면해설 작가는 내레이션을 작성하는 구성작가처럼 창작을 담당하지 않는다. 굳이 따지자면 영상 번역

가라고나 할까.

'그래, 동물의 언어를 인간의 언어로 번역하는 역할이라 생각하자.'

J가 애써 긍정의 회로를 돌리며 중얼거렸다. 인간도 포유류인지라 같은 포유류끼리는 비슷한 구석이 많은 편이어서 번역이 조금은 수월하다. 새끼를 임신하거나, 새끼에게 젖을 먹이는 행동 등 인간과 닮은 점이 많기 때문이다. 하지만 조류와 어류, 곤충의 세계로 나아가면 그곳은 외계의 세계다. 늘 새롭다, 동물의 세계는. 늘 외계인이 되어버린다, 동물의 왕국에서는. 인간의 왕국에서는 H가 유령 같은 존재인 것처럼 보이지만, 보이지 않는. 인간의 세계에서 H는 외계인 같은 존재 아니던가. 인간이지만, 인간이 아닌.

●

"엄마~ 고양이 소리 들린다."

귀가 어찌나 밝은지, 누런 낙엽 사이에 앉아 있는 누런 고양이가 작게 야옹대며 부르는 소리를 H는 귀신같이 듣는다. 숨은그림찾기를 하듯 엄마가 고양이를 발견한 다음, 근처에 놓여 있는 밥그릇이나 넓적한 잎사귀에 사료를 덜어준다. 노란 길냥이는 밥을 얻어먹은 지 몇 년이 지났지만, 여전히 곁을 주지 않고 엄마와 H가 자리를 뜨기 기다린다. 구내염에라도 걸렸는지 입가에 침을 흘리고 있다며 엄마가 J에게 전화를 걸어 상태를 설명해준다. 사료 먹기가 힘들 수 있으니 부드러운 캔을 줘 보라고 J가 이른다. 잡아다 치료를 해줄 수 없으면 그저 어떻게든 잘 먹고, 겨울을 무사히 나길 바라는 수밖에 없다. 그렇게 매번 밥을 주는 길냥이가 바뀌어 가며 10년이 흘렀다. 엄마는 H가 수술을 할 때도 '오늘은 뒷산에 못가서 어쩌나, 고양이들이 기다릴 텐데….'라고 걱정했다. '역시 인간은 믿을 수 없다'고 여기는 사례가 될까 봐 밥을 주다가 안 줄 수는 없다나? 물론 그들은 이미 해코지하는 인간도 있다는 것을 알고 있을 것이다. 인간의 왕국에서 살아가는 동물들은 예민한 법이니까.

"그러는 거 아니다."

길냥이에게 주는 사료값이 점점 많이 들어가서 "길냥이용으로 조금 저렴하고 대용량의 사료를 살까?" 하는 J

의 물음에 J의 엄마가 한 대답이다. 집에서 함께 살고 있는 고양이와 밖에 있는 애들을 차별하면 안 된다고. 그 이야기를 들은 지인은 너무 감동이라고 했지만, J는 눈을 가늘게 뜨고 속으로 중얼거렸다. '그 사료값을 대는 건 나다.' 그런 엄마가 호구임을 길냥이들이 몰라볼 리가 없었다. 길냥이들은 비가 오나, 눈이 오나, 바람이 부나, H와 엄마를 기다렸다. 비가 오나, 눈이 오나, 바람이 부나, H와 엄마가 뒷산에 오른다는 소문을 들은 것처럼. 발소리를 구분하는 건지, 목소리를 구분하는 건지, 아니면 CCTV라도 달아놨는지, 길냥이 왕국의 방식을 모르니 그저 추측하는 수밖에. 그래도 같은 고양잇과 동물은 닮은 점이 많아서 커다란 고양이인 호랑이나 사자, 표범 등이 하는 행동을 고양이 덕분에 J는 곧잘 이해하곤 했다. 동물에 관심이 없으면 해설 오류 가능성이 높아질 수밖에 없다. 이빨과 잇몸을 드러내며 숨을 들이마시는 플레멘 반응이 무엇인지 모르면, 게다가 그에 대해 내레이션에서 짚고 넘어가 주지 않았다면, 사자가 얼굴을 찡그리며 고통스러워한다고 잘못 해설할 수도 있기 때문이다. H도 마찬가지다. H를 자주 접해야 H의 말과 행동이 의미하는 바에 대해 알 수 있다. 길냥이처럼 곁을 주지 않고, 퉁명스레 막말을 하는 H를 그래서 엄마는 매일 번역하고, 통역한다.

"아들 때문에 엄마가 하루도 빠짐 없이 운동을 하니 건강하지~"

항상 마주치는 아저씨가 한마디 툭 던지고 지나치자, H가 뿔이 나 휘리릭 되돌아가 버린다. 엄마가 서둘러 뒤따라가며 불러보지만, H는 더이상 안 간다고 포악을 부린다. 엄마가 H를 겨우 따라잡은 다음, 차분히 설명한다. 아들 덕분에 어미가 건강한 것이라고 말한 건 칭찬이라고 하자, H가 그런 거냐고 묻더니 그런데 왜 아들 때문이냐고 말했냐며 날을 세운다. 엄마는 '때문'이라는 단어가 H의 심기를 건드렸음을 알아차리고, '덕분'이라는 단어로 통역해준다. H는 사람들의 시선이나 말에 섞인 일말의 동정, 연민을 기민하게 감지하곤 하지만, 소통은 원활하지 않다.

"아침밥을 먹는 건 살기 위한 일상생활이야. 광개토태왕 한 편을 보는 것도 일상이야. 뒷동산을 엄마와 함께 아침 먹고 오르는 것도 일상이야."

아침밥을 먹으면서 H가 혼자 중얼거린다. 그러더니 꾸러기 수비대 열두 동물 작업이랑 여의봉 작업은 왜 하느냐 묻고, 그 또한 일상이라고 답한다. 저렇게 자문자답을 하다 도가 튼 철학자가 소크라테스던가, 아리스토텔레스던가? 어느새 아침을 다 먹고 일어난 H가 뒷산으로 출발하자고 재촉한다. 그리고 '내일은 일요일이니까 〈동물농장〉에, 〈신비한 TV 서프라이즈〉를 봐야 하고, 엄마는 햄버거를 사와야 한다'고 신신 당부를 한다.

"이거야, 엄마. 오리너구리."

J가 함께 산을 오르다, 휴대전화로 사진을 검색하여 보여준다. 엄마는 오리너구리 주둥이가 H를 똑 닮았다며 웃는다. 오리도 아닌 것이, 너구리도 아닌 것이, 무어라 정의 내릴 수 없어 오리너구릿과를 만들게 했다는 오리너구리. 엄마가 번역하는 〈동물의 왕국〉 주인공은 늘 오리너구리다. 비가 온 뒤라 벤치에 앉을 수 없는데 오리너구리 H는 아랑곳하지 않고 털썩 앉아버린다. 엄마가 엉덩이 젖는다며 말렸더니 또 뿔이 나서는 엄마 혼자 가라고 오리너구리가 버럭 소리를 지른다. 엄마는 '저 언어는 어떻게 해석해야 할까', '어떻게 번역을 해야 할까', 말없이 속을 삭인다. 오리너구리가 저만치 혼자 앞서간다. 그러다 마음이 풀렸는지, 웬일로 엄마 곁으로 먼저 다가와 슬그머

니 손을 잡는다. H의 엄마도 아무 일도 없었던 것처럼 손을 맞잡는다. J는 두 사람의 뒷모습을 바라보며, '새끼 오리너구리와 어미 뒤로 물갈퀴 발자국이 총총 남는다'고 속으로 해설한다. 빗방울을 머금은 나뭇잎 사이로 〈동물의 왕국〉 시그널 음악이 흐른다.

노루가 깜짝 놀라 도망간다.
의문의 포식자가/ 풀숲을 헤친다.
무언가를 주워 먹고 있던 붉은 여우가
촉각을 곤두세우더니, 풀숲 쪽을 쳐다본다.
샤무아도 풀숲 쪽으로 시선을 향한 채, 우뚝 멈춰 선다.
뿌연 안개가 숲을 감싸며, 불안한 기운이 감돈다.
철책에 앉아 있던 새가 날아오른다.
포식자의 기척을 느낀 모든 동물들은
저마다 빠른 걸음으로 달아나거나, 날아가기 시작한다.
의문의 포식자는 천천히, 무성한 풀을 헤치며 나아간다.
여우는 꼬리를 내린 채 도망치고,
샤무아도 숲속 깊은 곳으로 향한다.
포식자의 발걸음은 여유롭기 그지없다.

0706 사람들에게 악명 높은 이 사냥꾼의 정체는 유럽 살쾡입니다.

다큐멘터리 <동물의 왕국> 화면해설 대본 中

제16화 누구십니까

내레이션	**맞벌이하느라, 학원에 매여 있느라, 서로 시간이 부족한 게 늘 아쉽다.**

<u>은아 씨가 건호 머리를 말려준다.</u>

제작진	요새 무슨 음악 들어?
건호	요즘 음악은 안 듣고 화면해설 앱에서 예능 같은 것도 보고….
제작진	예능?
건호	화면해설이 다 나오거든요. 만화도 있고….

내레이션	**아무리 세상이 좋아졌어도 건호가 볼 수 있는 방법은 아직 없다.**

<u>건호가 침대에 눕자, 은아 씨가 따라 눕는다.</u>

내레이션	**누구에게나 인생은 산 너머 산이지만 건호에겐 눈을 감고 넘는 산이다.**

다큐멘터리 <인간극장> 화면해설 대본 中

"댁은 뉘십니까?"

또 시작이다. J는 H와 엄마가 뒷산에 오를 시간이나 J가 외출할 때 엄마에게 전화를 걸곤 한다. H는 기분이 내킬 때 엄마의 휴대전화를 빼앗아 J와 통화를 하곤 하는데, 첫 마디에 꼭 통성명을 요구한다. 누군지 뻔히 알면서 묻는 이유는 모르겠지만, H 나름대로의 소소한 말 걸기나 농담인 듯하다. 하여, 그에 맞장구쳐주는 J가 누구인지도 매번 달라진다. 뭉치 원(one)일 때도 있고, 엄마의 딸일 때도 있으며, H의 동생이거나 누나일 때, 심지어 H일 때도 있다.

"저요? 전 H의 엄마입니다."

H의 엄마였던 적은 없던 지라, H의 말문이 막혔나 보다. H가 엄마를 쳐다봤는지 수화기 너머에서 "왜? 동생이 뭐라는데?"라는 엄마의 목소리가 들려온다.

"엄마는 여기 있는데유?"

"무슨 소리에유. 제가 엄마입니다. 거기 있는 사람은 우리 막냇동생입니다."

H가 숨이 넘어가도록 웃는다. 뭐가 저리 재밌을까 싶을 만큼 '누구십니까' 역할 놀이는 늘 H의 기분을 전환 시켜준다. H의 기분이 좋아진 것 같아 J가 엄마를 바꿔 달라고 한다.

"엄마는 죽었어유."

엄마가 옆에서 "떽!" 하는 소리가 어렴풋이 들린다. 뒷산이 떠내려가라 H가 또 웃어댄다.

"또 죽었슈? 거 저승에서 잠깐 돌아와서 전화 좀 받으라 해보슈."

H가 매번 엄마를 죽이는 통에 엄마와 통화를 하려면 저승에서 부르고, 부활시키고, 역할을 바꿔야 한다. 예수도 고작 한 번 부활했건만, H보다 하루만 늦게 죽길 바라는 엄마에게 '죽음의 안식'은 농담 속에서조차 찾아오지 않는다. 훗날, 엄마가 이 세상에 부재하게 될 때 H는 어떤 반응을 보일까.

●

- 계속 말하는 여자 누구야?
- 드뎌 해설 안 나오게 했네요.
- 난 안 들리는데?
- 해설 없애는 방법 아시는 분ㅠ… 이런
- 세자임?

드라마 톡방이 들썩거린다. 드라마 본방을 챙겨보는 일이 드문 J는 톡방이 있는지도 처음 알았는데, 드라마가 시작된 지 5분도 되지 않아 톡방에 '저 목소리는 뭐냐', '왜 계속 나오냐', '정신 사납다', '무슨 목소리 말하는 거냐, 나는 안 나온다', '여자가 계속 설명해준다' 등등의 말이 심심찮게 흘러나왔다. 화면해설 끄는 법을 알고 있는 J가 답을 달려다가 멈칫했다. 우습기도 하고, 씁쓸하기도 하여 실시간으로 올라오는 댓글들을 잠시 보고 있는데, 한 시청자가 그 목소리는 시각장애인을 위한 화면해설 방송이고, 리모컨의 설정으로 들어가 음성해설 기능을 끄면 된다고 말해준다. 그제야 사람들은 아무 일도 없었다는 듯이 드라마 얘기로 돌아갔다.

한국 드라마 대부분 사전 제작이 어렵다 보니, 대본을 작성하고 녹음하는 시간이 필요한 화면해설방송은 재방송에서야 방송이 되곤 한다. 즉, 드라마 본방에서는 화면해설이 이루어진 적이 없다. 그런데 2019년 방영된 드라마 〈신입사관 구해령〉에서 처음으로 본방 화면해설이 이루어졌다. 화면해설을 검색해보면 '그 기능을 어떻게 끄면 되냐'는 질문이 제일 먼저 검색 결과에 나오던 것처럼 본방에 화면해설 목소리가 나오자마자 사람들은 목소리 없애는 방법부터 물었다. 그러한 반응이야 익숙하다 치더라도, J가 씁쓸했던 이유는 '화면해설 설정 옵션이 켜있는지 알기까지 저 사람들은 어느 만큼의 시간이 걸렸을까?'라는 생각 때문이었다. 화면해설 목소리가 나왔다는 것은 어쩌다 보니 그 옵션이 켜있었다는 건데, 그 시청자는 드라마 본방을 볼 때까지 그런 해설이 나온다는 것을 인지하지 못하고 있었다는 뜻이 된다. 화면해설방송 비율이 전체 방송 프로그램의 10%, 그것도 새벽이나 심야 시간대에 몰려 있다 보니 인지하기 어려웠을 것이다. 오히려 시각장애인을 위한 화면해설방송임을 정확히 알고, 리모컨 설정 어디로 들어가서 끄라고 답해준 사람이 특이한 경우랄까. 설마 J처럼 본방을 사수하던 화면해설 작가는 아니겠지…. 어쨌든 J에겐 늘 베일에 가려 보이지 않던 불특정 다수의 시청자가 처음으로 특정된 경험이었다. 비록 드라마 시청에 방해가 된다는 식의 반응이긴 했지만.

매일 모니터 앞에 앉아 영상과 씨름을 하다 보니 J가 시각장애인을 직접 만나는 일은 거의 없다. 한국시각장애인연합회에서 주최하는 행사에 참여하거나 가치봄 영화제, 배리어 프리 축제 같은 경우가 아니면 길을 가다 우연히 장애인을 마주치는 일이 극히 드문 나라기 때문이다. 그래도 드물게나마 시청자가 특정될 때가 몇 번 있었다. 어느 날, 오랜만에 만난 지인에게 〈울림의 탄생〉이라는 대북 만드는 다큐멘터리 해설 대본을 하느라 힘들었다고 이야기하는데 뜬금없이 지인이 그 감독을 안다고 했을 때. J가 해설 대본을 쓴 단편영화의 감독을 영화제에서 만났을 때. 〈인간극장〉 '열두 살 건호, 손끝으로 세상을 보다' 편을 작업했을 때는 자판을 치는 손끝이 떨리기까지 했다. 주인공인 건호는 시각 장애가 있는 피아니스트였고, 화면해설이 뭔지 명확히 알아 찾아 듣는 소년이었다. 본인이 주인공으로 나오는 데다가, 인간극장 홈페이지에는 화면해설방송 카테고리가 따로 마련되어 있으니 분명 들어볼 텐데 이 일을 어쩌나. 그럴 때면 책임감과 부끄러움, 궁금함과 사명감 등등의 것이 한꺼번에 몰아치곤 한다. 그래도 간혹 생기는 그러한 교차점에서 J는 그다음 발걸음을 내디딜 힘을 얻는다. 메아리도 들려오지 않는 무저갱에 서 있는 건 아니라고, 문도 없는 벽을 두드리고 있는 건 아니라고 생각하며.

●

"댁은 뉘슈?"

H의 엄마가 1년에 한두 번, 기껏해야 식사나 하고 오는 모임에 나갔다 돌아왔다. 현관까지 부리나케 마중 나왔으면서 누구냐 묻는 H에게 '그러는 댁은 누구냐, 어미를 아느냐'라고 엄마가 묻자, H가 '쬐끔 안다'며 엄마 목을 끌어안는다.

"엄마, 재미있게 놀았어? 아들 없으니까 좋았나?"

호들갑스러운 H의 반응에 엄마의 입이 함지박처럼 벌어진다. 이산가족 상봉이 따로 없다. 엄마 대신 와 있던 J가 방해꾼은 이만 가보겠다고 말하며 모자에게 눈을 흘긴다. J가 삐친 걸 눈치챈 H는 웃음보가 터지기 직전인 얼굴로 어깨를 툭툭 치며 달래주는 시늉을 한다.

H가 누구냐고 물을 때마다 J는 아무렇게나 내뱉곤 하지만, 실은 잘 모를 때도 있고, 아무렴 어떠냐 싶을 때도 있다. 내가 누구인지 조각을 찾아 한참 헤매다가 타인과 그 조각들을 나누고 보듬으며 사는 게 아닐까 싶다가도, 조각을 잃어버

리고, 잊고, 외면하며 사는 건 아닌가 싶기도 하다. 가까운 이라고 다 아는 것도 아니고, 교차점이 없는 이라고 다 모르는 것도 아님을 H는 알고 있는 걸까. (…설마.)

"엄마가 H를 조금 아는데, H는 짓궂은 개구쟁이야."
"틀렸어! 난 인생을 떠도는 방랑자야."

방랑자란 단어는 어디서 주워들은 건지, H의 말에 빵 터진 엄마의 웃음소리가 뒷산을 가득 채운다.

"엄마한테는 아들이자 딸랑구인 H가 하나뿐인 아들이자 딸이니라. 쌍둥이는 어미 뱃속에서 둘이 함께 있었으니 둘이지만 하나이고, 하나이지만 둘이 되는 것이니 아들랑구는 딸랑구요, 딸랑구는 아들랑구인 거지."
"엄마, 말도 안 되는 소리로 횡설수설하지 마."

오늘도 엄마는 H가 누구인지 알아맞히는 데 실패했다.

제17화 화면해설방송 송출 대작전

J가 작성한 대본으로 제작된 화면해설방송이 처음 송출된 날. J는 방송 내내 무엇을 들었는지, 쿵쾅거리는 심장 소리 때문에 제대로 듣지 못했다. 화면해설방송 자체를 듣기까지 그 긴 여정을 거쳤음에도 불구하고.

TV를 시청하는 방법에는 크게 5가지가 있는데, 지상파, 위성방송, 케이블 방송, IPTV 인터넷 방송, 혹은 모바일 DMB로 보는 방법이다. 그리고 무엇으로 TV를 시청하든 화면해설방송을 보려면 세 가지 방법이 있다. 지상파를 직접 수신하는 방법이 있고, 아날로그 케이블 TV에서는 리모컨 메뉴에서 음성다중을 선택하여 부음성을 선택하는 방법, 디지털 케이블이나 스카이라이프, IPTV로 시청할 때는 메뉴 설정에서 화면해설 기능을 켜면 된다. 방송통신위원회와 시청자미디어재단에서 보급하는 화면해설방송 수신기 역시 마찬가지다. 현재 화면해설방송을 제공하는 채널은 SBS, KBS, MBC, EBS와 같은 공중파와 JTBC, MBN, tvN, 채널A와 같은 종합편성채널, 그리고 MNET, YTN, OCN, 수퍼액션 TV, OBS, 투니버스, 채널CGV, XTM, 드라마큐브, SBSfunE, MBC everyone, 채널뷰, 대교어린이TV, JEI재능TV 등과 같은 케이블TV이다. J는 단지 화면해설방송을 보고 싶었을 뿐이었지만, 지인까지 동원하여 확인한 결과, IPTV사 KT, SK, LG 모두 화면해설방송 송출에 문제가 있었다. 그리고 각 방송사와 IPTV 케이블사, 신문고에까지 문의하며 원인을 찾고 기다리는 과정에 10여 개월이 걸렸다. 두 번 하라고 하면 못 할 짓을 J는 오기로 했다. 방송 송출 원리에 대해 문외한인 J가 이해하기는 어려운 내용이었지만, 끝끝내 이해한 바로 화면해설이 나오지 않는 이유는—방송 사고가 난 경우가 아니라면—기본적으로 지상파를 제외한 대부분의 방송 매체의 기술표준이 달라 상호 호환이 되지 않은 오류였다. 즉, 영상과 함께 오디오 트랙 1번은 송출되나, 오디오 트랙 2번과 3번을 함께 믹스하여 송출하는 기술 방식이 저마다 달라 송출되지 않는다는 것. IPTV사에서 직접 제작한 것이 아니라면 각 방송 매체에서는 프로그램을 전달받아 송출하게 되는데, 그 소스를 받아 다시 재송출할 때 화면해설이 들어가 있는 오디오 트랙 소스의 호환이 충돌하여 화면해설 소리가 안 들리거나, 영상에 문제가 생겨 아예 오디오 트랙 3번을 빼고 송출하게 되는 것이다. 이에 대해 방송사는 '우리는 만들어 제공했을 뿐이다. 호환 문제는 IPTV사에서 알아서 해라' 하는 입장인 것이고, IPTV사에서는 '우리가 기본 소스를 마음대로 변경하거나 새로 만들 수도 없고, 소스를 호환시켜주는 기계는 너무 비싸다'라는 입장이었다. 호환 기계 또한 하나의 기계로 통용되는 것이 아니라 각 방송사마다 각각 구비를 해야 해서 어떤 방송사는 해설이 나오고, 어떤 방송사는 나오지 않기도 했다.

수신기 역시 문제가 많다. 화면해설방송 수신기를 셋톱박스에 연결하면 무용지물이라는 것이다. 초반에 보급된 수신기는 화면해설방송이 나올 때 TV 소리를 끄고, 수신기를 라디오처럼 채널을 맞춰 켜는 방식이었고, 이 수신기로는 지상파 방송만 볼 수 있었다. 따라서 IPTV·케이블 방송을 보려면 각 사업자 별로 제공하는 셋톱박스를 연결해야 하는데, 셋톱박스를 연결하면 수신기가 제대로 작동하지 않는다는 것이다. 그렇다면 수신기에 셋톱박스를 내장하면 되지 않을까 싶지만 각 사업자마다 신호가 다르기 때문에 그도 불가능하다. 그래서 각 IPTV·케이블방송사에 개인적으로 요청할 수밖에 없고, 요청한다 해도 TV 편성표와 영화 보기, VOD 다시 보기 등까지 음성으로 안내해주는 서비스는 드물다.

‘아… 그냥 안 보고 말지, TV 보기 힘들다….’

총체적인 난국 앞에서 J가 중얼거렸다. 기술은 나날이 발전하여 항상 새로운 서비스가 나오고, 관련 법안 역시 더디지만 의무 편성 비율을 높이고 질적 향상을 위한 노력 등이 이루어지고 있지만, 지난하다. 영국과 같은 경우에는 전 세계적으로 화면해설발송이 제일 체계적이고 활발하게 제작되는 나라인데, 공영방송이 아닌 TV의 화면해설 비율도 18%로 높은 편이다. 우리나라는 최대가 10%이고, 이 또한 모든 곳에 의무로 지정되어 있지는 않다. 똑같은 삼성 TV이지만 수출용과 내수용이 달라 화면해설 메뉴를 찾기 어려운 경우도 있다. 이어지는 글은 2017~2018년에 걸쳐, 각 방송사 별로 화면해설방송 미송출과 관련하여 J가 문의한 백여 개의 문의 글 중 일부를 요약한 것이다.

〈SBS〉

SBS 드라마에 화면해설이 나오지 않아 1:1 게시판에 문의하니 시청자 상담실에 전화하라고 안내, 시청자 상담실로 전화 문의하니 SBS 내부 문제는 아니고, 관련 담당 외주 업체가 당일 이전 문제로 어수선한 분위기에서 문제가 있었던 것으로 파악된다는 답을 받았다. 이사를 하면 화면해설방송은 볼 수 없는 게 당연하다는 의미인 듯 하다.

〈EBS〉

화면해설 누락으로 문의하니 송출 실수가 아니라는 답을 받았다. 어떤 건 나오고 어떤 건 나오지 않는 이유에 대해 재문의하자, 담당 부서로 전달했으니 기다리라 하고는 답이 오지 않았다. 다시 문의하자 정상 진행됐다는 말만 반복, 수신기능 관련 문의는 시청자 미디어 재단에 문의하라며 공을 넘겼다. 시청자 미디어 재단에 문의하면 EBS 고객센터 대표 번호를 알려주겠지.

〈KBS〉

화면해설이 나오지 않은 프로그램에 대해 문의하자 담당자 휴가 복귀 후 답변한다더니 답이 오지 않았다. 화면해설이 나오지 않은 프로그램들의 이름과 시간을 모두 확인하여 재문의하자, 예정된 화면해설 방송이 누락 되는 것은 방송사고에 해당하기 때문에 담당자와 방송사에서도 여러 가지 방법으로 이를 확인하고 있다고 답을 주면서, TV 설정을 다시 한번 확인하고 해당 현상이 계속 반복될 경우에는 KBS 난시청 부서로 문의하라고 안내했다. 난시청 부서로 문의하자 다른 번호로 돌려주었고, 그곳은 자막을 만드는 회사라 화면해설에 대해서는 모른다는 답을 들었다. 그리고 이 모든 과정에서의 마지막 답변 문장은 '언제나 시청자의 소리에 귀 기울이며 감동을 전하는 KBS가 되기 위해 노력하겠습니다.'였다.

〈OBS〉

방송사와 IPTV사에 끼어 영문도 모른 채 답답해하던 차에 제일 명료하게 설명해준 곳은 OBS였다. 화면해설이 나오지 않은 프로그램에 대해 문의하자, 플랫폼별로 일부 지원되지 않는 경우가 있을 수 있으니 거주 지역 및 플랫폼을 알려달라는 답이 달렸다. 그 후에는 직접 LG U+측에 알아보고 LG U+ 측의 장비 장애로 화면해설방송이 지원되지 않고 있음을 파악, 이에 대해 협의하여 조만간 LG U+측에서 장비를 구비하여 제대로 송출이 되면 확인 전화 드리겠다는 말과 함께 OBS측에서는 당연히 방송이 나가고 있는 줄 알았는데, 게시판에 컴플레인 해주지 않았다면 몰랐을 것이라며 감사드린다는 말로 마무리되었다. 〈인간극장〉의 시그널 음악이 귀에 들리는 듯 했다.

〈LG U+〉

어떤 시간대에 송출된 어떤 프로그램이 안 됐는지 추

가적인 정보를 말해 달라 하여 일일이 다 적어주었다. LG U+는 전체적인 화면해설방송 오류는 아니고, 셋톱박스 변경을 통해 정상적으로 화면해설방송을 이용 가능하다는 답변과 함께 셋톱박스를 교체해 주었다. 하지만 여전히 나오지 않는 채널이 있었고, 문의한 채널은 방송사에서 콘텐츠별로 자막을 제공하고 있어서, 특정 콘텐츠에만 자막방송이 안 나올 수 있다며, 자막이 확인이 안 된다면 해당 콘텐츠 제목명과 편성 시간대를 확인해주시면 감사하겠다는 답변을 받았다. '자막' 방송과 '화면해설' 방송의 차이도 알지 못하는 답변이었다.

시간이 흘렀다.

〈투니버스〉

얼마 전 투니버스가 장애인방송 우수 방송사로 선정됐다는 기사를 읽었습니다. 모든 시청자들이 동등하게 프로그램을 즐길 권리가 있으나, 특히 아이들이 보는 프로그램은 무엇보다 앞서 보장되어야 할 부분이라고 생각합니다. 다름이 아니라 현재 IPTV 서비스 회사 LG U+를 이용하여 투니버스 프로그램들을 시청하고 있습니다. 그런데 투니버스에서 방영되는 화면해설방송이 모두 나오지 않습니다. 이에 투니버스의 방송 사고는 아닌 것 같고, 투니버스 측이 LG U+에 영상소스만 제공하고 화면해설방송 소스를 보내주지 않는 것이 아닌 한, LG U+에서 제대로 송출하지 않는 것 같습니다. 제가 다른 방송사에도 문의하다 알게 된 바, 송출하기 위해서는 장비가 필요한데, LG U+ 측에서 투니버스 방송 송출용 장비가 갖춰지지 않은 것 같습니다. 이 문제로 인해 지난해부터 반년이 넘도록 원인 파악을 하기 위해 동분서주하였습니다. 모든 시청자의 동등한 권리를 위하여 자막 및 화면해설방송을 제작하였을 거라 생각됩니다. 그렇다면 그것을 끝까지, 제대로 시청할 수 있도록 책임지는 것 역시 방송사의 의무가 아닐까요. 제가 LG U+ 측에도 개인 요청을 드리긴 했으나, 투니버스 측에서도 자체 모니터링을 해보시고 송출에 문제가 있는 IPTV사에 대해 협조를 요청해주셨으면 합니다. 감사합니다.

이에 CJ E&M 고객만족실로 문의하라고 안내받아 재문의하였지만, 답은 오지 않았다. LG U+ 확인 결과, 화면해설 소스를 LG U+측에 제공해주지 않아 화면해설방송이 송출되지 않는다는 답변을 받았고, 투니버스에서는 다시 LG U+ 측의 플랫폼 문제인 것 같다고 공을 넘겼다. 아니, 폭탄 돌리기 게임일지도 모르겠다.

그사이 계절이 3번 바뀌었다.

〈국민신문고〉

안녕하세요. 지난 2017년 여름부터 반년 넘도록 화면해설방송 관련 조사와 요청을 드린 결과, 미진한 점이 있어 민원을 작성하게 되었습니다. 화면해설방송은 시각장애인이나 노년층을 위한 방송으로서 TV 옵션 설정에서 선택하게 되면 말이나 효과음, 음악 사이 빈공간을 틈타 영상에서 흘러가고 있는 상황에 대한 설명을 해주는 방송입니다. 현재 지상파와 위성방송, 보도/종합편성채널, 케이블TV, IPTV CP 등은 각각 필수지정사업자이거나 고시의무사업자에 해당되고 있습니다. 그만큼 개인이 TV를 시청하는 방법이 다양화되었다는 의미겠지요. 일단 지역, 지방은 제외하고, 서울에서 TV를 시청하는 일반적인 방법 중 하나는 인터넷과 함께 TV를 신청하여 보는 방법입니다. 요즘은 인터넷과 스마트폰 사용이 일반화되어 있으니까요. 그러면 IPTV사의 KT, SK브로드밴드, LG U+ 이 세 곳 중 한 곳을 부득이하게 선택할 수밖에 없습니다.

문제는 각 방송사에서 화면해설방송 송출이 정상적으로 이루어지고 있음에도 불구하고, IPTV사를 통해 화면해설방송을 볼 때는 해당 서비스를 사용할 수 없다는 것입니다. 이유가 무엇인지, 이에 대해서도 각 방송사와 IPTV사에 문의한 결과, 화면해설방송을 방송사에서 받아 IPTV사에서 재송출하려면 포맷에 맞게 변환하여 송출해야 한다는 것, 그리고 그 변환 기계는 각 방송사마다 하나씩 구비되어 있어야 한다는 것이었습니다. 즉 IPTV사는 화면해설방송을 송출하는 모든 방송사의 변환 장비를 구비해야 한다는 것이지요. 현재 IPTV사 중 화면해설방송의 2/3 이상을 송출하지 않는 곳은 KT이며, SK도 절반 이상 송출하지 않고 있고, LG는 2~3곳 정도의 방송사가 송출되지 않고 있습니다. 이에 각 IPTV사에 문의를 해도 문제없이 송출하고 있다는 천편일률적인 답변만 하거나, 각 방송사에게 책임을 떠넘기는 답변만 하고 있습니다. 신호를 받는 셋톱박스도 무척 중요하기 때문에 이에 대한 교환을 일일이 요청하고, 교환하는 번거로운 과정을 거쳐야 했습니다. 셋톱박스를 교체한 후 이상 없이 화면해설방송이 나오면 다행인데, 그렇지 않은 경우가 훨씬 많습니다. 그리고 이는 곧 IPTV사 자체 장비 미구비가 문제라 판단하게 되었습니다.

각 방송사는 장애인방송에 대한 의무가 있는 반면, IPTV사는 현재 어떠한 제약도 없는 것으로 알고 있습니다. 있다면, 지키고 있지 않는 것이겠지요. 방송사는 우리는 문제 없이 송출했다 뒷짐 지고, IPTV사는 각 방송사별 기계

장비를 구비하기에는 비용이 부담 된다 빼고 있는 상황이 아닐까 추측됩니다. IPTV를 통해 TV를 시청하는 수많은 이들의 정당한 권리를 누릴 수 있도록 모쪼록 IPTV사에 정식 공문이나 가이드 라인, 권고를 요청드리는 바입니다. 감사합니다.

귀하의 민원내용은 'IPTV 사의 화면해설 송출현황 등 문제점에 대한 답변'으로 이해됩니다. 귀하의 질의 사항에 대해 검토한 의견은 다음과 같습니다.

가. 방송통신위원회에서는 한국 IPTV 방송협회 관계자 및 IPTV 3사 담당자와 면담결과, 방송사업자와 플랫폼 사업자 간 구축된 시스템 차이, 기술표준의 부재 등으로 인하여 화면해설방송 신호 송·수신과정에서 오류가 발생 되어 일부 화면해설방송이 누락 되는 경우가 있다는 의견을 확인하였습니다.

나. 이에 따라 전송방식 개선을 위해 과학기술정보통신부, 한국방송협회, 한국방송채널진흥협회 및 한국 IPTV 방송협회 관계자 등과 협의를 통해 연내 문제점을 해결할 수 있도록 노력하겠습니다. 다만, 기술표준 마련은 다양한 이해관계로 인해 조율 등이 필요하여 일정 기간의 소요될 것으로 판단됩니다. 장애인 방송에 대한 관심에 감사드리며,

방송통신위원회는 장애인의 방송시청 편의를 위해 최선을 다할 것임을 약속드립니다.

●

현재 지상파, 위성, 보도/종합편성 채널 사용자의 화면해설방송 편성 의무 비율은 최대 10%로 규정되어 있다. 화면해설방송은 재방송 시 서비스되어 대부분 시간대가 평일 낮 시간이나 심야, 새벽 시간에 편성되어 있고, 다시 보기 서비스는 거의 제공되지 않고 있다. 영화는 한 달에 두세 편 정도가 평일 낮 시간이나 한정된 상영관에서 가치봄 영화로 상영되고 있다. 이 모든 것은 영상물의 저작권과 관련이 있기도 하지만, 무엇보다 화면해설방송에 대한 인식이 부족하기 때문이다. 화면해설방송도 엄연히 방송이고, 그에 대한 책임과 의무가 있으며, 장애인과 관련된 많은 제도가 그러하듯이 생색내기용으로 그쳐서는 안 될 것이다.

J는 '최선'이라는 단어를 찾아보았다.

1. 가장 좋고 훌륭함. 또는 그런 일.
2. 온 정성과 힘.

귀도현은 기운을 모아, 검날을 뻗어 날린다.

귀도현　　귀도식!

(빠르게) **채찍이 좀비를 휘감는다.**

귀도현　　지금이야!

강림이 불의 부적을 붙인다.

강림　　수신의 불!

부적이 타오르며 불꽃이 쌍검을 뒤덮는다.

강림　　흠! 받아랏!

강림의 검이 초 거대좀비를 관통하더니, 불에 타 재가 된다.
(자간미자귀 보일 때) **남은 초 거대좀비가**
자간미자귀의 번개 창을 잡아 준다.
자간미자귀가 붉은 눈을 번득이자,
초 거대좀비는 금이 되어 녹아버린다.

두리　　와~ 해치웠어!

애니메이션 <신비아파트> 화면해설 대본 中

제18화 구두쇠는 처음이라

<u>차웅이 손짓하자, 마술사 모자에서 트럼프 카드가 솟구친다.</u>
<u>차웅은 그 중 카드 한 장, 스페이스 K를 잡아</u>
<u>시선을 집중시킨 다음 놓아버린다.</u>
<u>차웅의 손짓에 따라 바닥에 떨어진 카드들이</u>
<u>공중에 떠오르고, 멈추고, 회전한다.</u>
<u>차웅은 카메라를 정면으로 쳐다보며,</u>
<u>카드 한 장을 손에 쥔다.</u>

차웅 마법 같은 마술을 원하십니까? 차차웅입니다.

<u>스페이스 K다.</u>

드라마 <지금부터 쇼타임> 화면해설 대본 中

용돈은 손바닥을 마주 치는 걸로 대신하고, 생일 선물은 마음의 선물로, 직업은 뒷산에 오르는 것이며, 동생인 J가 결혼을 하기 전에 오빠인 자기가 먼저 결혼을 해야 한다고 생각하던 H에게 마침내 연금이 나오게 되었다. H 이름으로 된 체크카드가 난생처음 생겼고, J는 목걸이로 된 카드 지갑을 선물하여 체크카드를 넣어주었다. 2년여에 걸친 씨름과 기다림 끝에 끝끝내 받게 된 연금이었다. 1년여는 J가 방법을 찾아 헤맨 과정이었고, 1년여는 상담 선생님의 선의와 호의로 이루어진 시간이었다. J는 H의 통장에 처음으로 연금이 입금된 날, 차마 울지도 못하고 한참을 들여다보기만 했다. H의 부모가 이 세상에 없게 되어도, 이 세상에 H와 J 둘만 남게 되더라도 라면은 사 먹으며 연명할 수 있겠구나, 하는 비극적인 상상을 하면서도 마음이 놓였다.

연금을 어느새 '월급'으로 둔갑시킨 H는 자신의 월급날이 언제냐고 J에게 몇 번이고 확인했다. 20일이라고, 입금되면 바로 알려주겠다고 하자 H는 손꼽아 기다리기 시작했다. 뭘 알긴 아는 건가 싶어 엄마가 20일을 왜 기다리느냐고 물었다.

"그냥…, 참 좋다."

"연금이 뭔지는 알아?"

"돈이라는 거."

"돈의 힘이야?"

H가 어깨를 으쓱하며 대답했다.

"돈의 위력이지."

이후 H는 '연금을 받게 되었으니 한 턱 쏘라'는 공세에 시달리게 되었다. 때마침 H와 엄마의 운동화가 헤져 H는 엉겁결에 겨울용 등산화를 쐈다. 물론 구매는 J가 대행하고, 돈은 H의 통장에서 이체시킨 것이지만. 어쨌든 엄마는 난생처음으로 H가 사준 새 등산화를 신고 겨울 산을 올랐다. 구름을 밟는 기분이었으리라. 1년여 동안 고생해주신 상담 선생님에게도 선물을 하는 게 좋지 않겠느냐 묻고, H의 돈으로 작은 선물을 드렸다. 그야말로 돈이 위력이었다. 하지만 그걸로 끝이었다. 엉겁결에 연속 두 번이나 돈을 쓴 H는 얼마큼의 돈인지도 모르면서 이건 아니다 싶었는지 지갑을 꽉 닫았다.

"L이 연금 나온 거 축하한다고 한 턱 쏘라던데?"
"…생각해 볼게."

J의 친구인 L을 사랑한다던 H는 온데 간 데 없었다.

"일요일은 햄버거 먹는 날이야, 알지?"

연휴라 J도 함께 뒷산에 오른 날, H가 일요일의 루틴을 신신당부한다. 연휴라 햄버거 가게가 열지 모르겠다고 J가 말하자, 그 틈을 놓치지 않고 엄마가 H에게 한 턱 쏘라고 말한다. H는 얼떨결에 그러겠노라, 함께 가서 사기로 하고 산을 내려가기 시작하는데, 라디오에서 '빈대떡 신사' 노래가 흘러나온다. H가 대뜸 점심 메뉴로 빈대떡이 어떠냐고 묻는다. 엄마가 별생각 없이 "그럴까?" 하다가 퍼뜩 정신을 차린다.

"아들, 돈 안 쓰려고 빈대떡 먹자는 거야?"

H가 1초의 망설임도 없이 "응."이라고 답한다. 그렇게, 돈 앞에선 사랑도 깨지고, 규칙도 깨졌다.

"그럼 도대체 월급 나오면 뭘 할 거야?"
"쓸 데야 많지."

'많다고?' 엄마가 눈을 끔뻑거리다 어디에다 쓸 건지 되묻는다.

"우선 먹는 것부터 해결해야지."

"먹는 건 엄마가 다 해결해 주잖아?"

할 말을 잃은 H가 가만있다가 말을 툭 던진다.

"내 돈이니까 내 맘대로 저축도 하고 아껴 쓸 거야. 그러니까 엄마는 신경 끄셔, 알았지?"

"엉, 알았어. 그래도 이따금 엄마 용돈 좀 부탁해~"

"…생각해 볼게."

"어이구, 이 자린고비 구두쇠야."

자린고비, 구두쇠 소리는 질색하던 H가 결국 참았던 화를 터뜨린다.

"그래! 나 자린고비고 구두쇠다! 엄마 신발 사줬으면 됐지, 몇 푼이나 된다고 계속 우려먹으려고 해!"

한동안 창과 방패의 싸움처럼 연금 쏘기와 구두쇠 놀이가 유행하던 어느 날, 그 날이 왔다. 점심에 피자를 먹자는 H에게 엄마가 한국식 피자 부침개를 해주겠노라니까 그게 아니라는 듯 엄마를 지그시 바라봤다. 종종 J를 통해 피자를 주문했던 지라 엄마가 고개를 끄덕였다.

"알았어, 동생한테 주문하라는 거지? 아들이 쏘는 거야?"

잠깐 멈칫거린 H가 마지못해 대답했다.

"그래야지, 뭐. 내가 사야지."

"뭐라고?? 드디어 아들 주머니에서 돈이 나온다고라?! 맘 변하기 전에 얼른 소문내야지!"

"어이구~ 소문은 무슨~"

그러면서도 뒷산을 오르는 내내 어깨에 힘이 잔뜩 들어간 H를 보고, 정말 아들이 쏘는 거냐고 엄마는 재차 확인했다.

"만날 동생이 사는데 한 번쯤은 사야지~"

H의 대사를 J에게 그대로 전하며, 엄마는 '그렇게 맛있는 피자는 세상에서 처음 먹어 보았다'고 호들갑을 떨었다. 본가에 방문한 날, J의 몫으로 남겨둔 피자를 받아들며 J도 엄마에게 맞장구를 쳤다.

"엄마, 내가 살다 살다 오라비가 쏘는 피자를 얻어먹는 날이 오네?! 난 이제 죽어도 여한이 없어!"

J는 H와 등을 지고 있어 H의 표정을 볼 수 없었지만, 눈에 그린 듯 훤히 알 수 있었다. 말없이 씨익 웃는 H의 입꼬리는 귀에 걸려 있었을 것이다.

'돈 쓰는 맛'을 알게 된 H는 그 후로 그 누구도 알 수 없는 자신만의 기준으로 쓰고 있다. 아버지의 첫 유럽 여행에 25만 원을 용돈으로 드리는가 하면—왜 25만 원인지는 알 수 없고, 어느 순간 '용돈'이 아니라 여행을 '보내드린 것'으로 뻥튀기된 이유도 알 수 없다—, 예전엔 음식을 주문해도 그 음식이 하늘에서 떨어졌는지, 땅에서 솟았는지 관심도 없던 H가 '누가 쏘는 것'인지 출처와 치하를 분명히 하기 시작했으며, '걔(=J)가 무슨 돈이 있냐'며 엄마와 J의 말문을 막았고, '늙은 부모 모시고 살기 힘들다'를 시전하기에까지 이르렀다. 그때마다 J와 엄마는 지겨워하지도 않으며, '연금 신청하기를 너무 잘했다' 말하고, 또 말했다. H의 작은 변화에 대해 말하고, 또 말했다. 어느 날은 웃으며, 어느 날은 목이 메어서, 또 어느 날은 감동하며.

앞으로도 ‘구두쇠는 처음’인 H의 마법 같은 마술은 계속될 것이다. 그리고 J와 엄마는 함께 천일야화를 만들어 갈 것이다.

제 19화 틈

화면해설은 결국 틈과의 싸움이다. 영상에서는 끊임없이 말소리와 효과음, 배경음악 등이 흘러가고, 그 사이 사이의 빈틈을 노려야 하기 때문이다. 화면의 상황을 좀 더 상세히 설명하고 싶지만, 늘 틈이 부족하여 문장은 줄고, 줄고, 또 줄어든다. 대사와 대사 사이, 말과 말 사이, 소리와 소리 사이에서 중얼중얼 안내해주는 게 J의 역할이다.

구멍 난 양말을 메워보겠다고 실과 바늘을 들고 있던 J가 구멍은 메우는 것인가, 꿰매는 것인가 궁금해진다. 그러다 혹시 양말도 각 부위를 지칭하는 단어들이 따로 있는지 찾아본다. 직업병이라면 직업병인데, 익숙하지만 명칭은 모르는 것들의 이름을 찾아보거나, 같은 표현을 이리저리 다르게 굴려보곤 한다. 그나저나 양말 구멍은 감쳐야 하는 것인가, 홈질로 잡아당겨야 하는 것인가, '양말 구멍 메우는 법'을 배운 적 없는 J가 쩔쩔맨다. 우리 모두 때때로 각자의 숭숭 뚫린 구멍을 어쩔 줄 몰라 하는 것처럼.

근본적인 불안감은 늘 틈 사이로 새어 나온다. H의 눈에 망막박리가 다시 재발하면 어쩌지, 수습할 수 없는 사고를 치면, H의 부모가 거동할 수 없는 순간이 오면, J에게 사고나 질병이 닥치면, 경제적인 어려움이 생기면? 불안의 틈은 점점 벌어져 구멍이 생기고, 구멍은 블랙홀이 되어 모든 것을 집어삼킬 때까지 커진다. 감침질이나 홈질로 해결될 문제가 아니라고, 그냥 버려 버리고 새 양말을 꺼낼 수도 없다. 틈이라는 것은 늘 있기 마련이고, 구멍은 그 틈 사이에서 스멀스멀 커지는 법이니 말이다. (그런데 왜 화면해설을 할 틈은 없는 걸까)

●

블랙홀에서 전화벨이 울린다. J의 엄마다. 상담 선생님을 배웅해드리고 집에 가는 길이라고 하는데, 웃느라 말을 못 한다. 뭐라고 하는 거냐, 웃지 말고 똑바로 말을 하라는 J의 목소리에도 결국 웃음이 전염된다. 사연인즉, 여느 때와 달리 오늘은 상담 선생님과 함께 산에 올랐다가 하산하는 길에 늘 만나는 아저씨를 만나 인사를 했단다. 아저씨가 오늘은 일찍 다녀온다고 운을 띄우며 상담 선생님을 힐끗 보고는 엄마와 눈을 마주쳤다. 누구냐고 묻는 눈빛에 엄마가 '새 아들'이라고 소개를 했다. 눈이 휘둥그레진 아저씨는 정말이냐고 묻고, 그제야 엄마가 아니라고 대답하려는 순간.

"그럼 난 헌 아들."

H가 손가락으로 자신을 가리키며 한 말에 모두들 빵 터졌다는 말을 전해 들은 J도 덩달아 웃음을 터뜨렸다. 그리고 그날은 하루종일 '새 아들은 잘 갔냐', '새 아들이랑 있어서 좋았냐', '헌 아들은 밥을 먹겠다', '헌 아들은 여의봉 작업을 하겠다' 등 새 아들, 헌 아들 놀이가 이어졌다. 일상의 틈바구니에는 늘 웃음 구멍이 숨어 있다는 것을 알려주기라도 하듯이.

●

H의 집 현관문에 도어락을 달았다. 기억하기 쉽게 두 개의 숫자가 반복되는 비밀번호 4자리를 설정하고, H에게도 가르쳐주었다. 도어락 덮개를 위로 젖히고, 비밀번호 4자리를 누르고, 덮개를 내린다. 반복하여 시범을 보인 다음 J와 엄마는 집으로 들어왔다. 현관 앞에서 H가 도어락

덮개를 위로 젖히는 소리가 들린다. 삑. 첫 번째 숫자가 눌린다. 3초가 흐른다. 삑. 두 번째 숫자가 눌린다. 또 3초가 흐른다. 세 번째 숫자가 눌리려는 순간 삐빅삐빅삐빅 시간 초과 알림음이 울린다. H는 여러 번 시도를 해보았지만, 끝내 집에 들어올 수 없었다. 문제 상황임에는 분명한데, J와 엄마는 현관 앞에 서서 배꼽을 잡고 소리 없는 웃음을 터뜨리느라 눈물을 흘렸다. 결국 H는 도어락에 카드키를 대어 현관문을 열기로 했다. 그런데 어느 날, 아파트 공용현관에도 자동문이 설치됐다. 덩달아 H의 목에 걸린 카드키도 두 개로 늘어났다. "집이 여러 채가 아니어서 다행이지 뭐야?"라고 말하며 J와 엄마는 웃었다.

●

코로나가 닥치고 1년 넘게 집과 뒷산만 오가던 H에게 어느 날, 엄마가 J의 집으로 콧바람을 쐬러 가자고 꼬드겼다. H는 마스크를 착용하지 않으니 음식점 안에 들어갈 수 없어, 인적 드문 공원 벤치에 앉아 포장해온 초밥과 우동을 먹었다. 아직 초봄이라 날이 쌀쌀한 데도 H가 활짝 웃으며 외쳤다.

"이게 바로 행복이지!"

그래, 행복이 별거랴. 잘 먹고, 잘 자고, 잘 싸면 그만이지. H가 멈칫한다. '소머즈 귀 같으니라고.' J가 구시렁댔다.

●

"엄마, 돈벼락을 맞으면 좋을 것 같아."

"돈벼락을 맞으면 뭘 할 건데?"

"부모 집에서 얹혀사는 걸 그만하려면 집이 필요하니까 집을 사야지."

"그럼 동생처럼 독립할 거야?"

H는 한참을 망설이다 다시 생각을 해보겠노라 답한다. H의 엄마가 섭섭하다고 하자, H가 이유를 묻는다.

"아니~ 하늘에서 돈이 떨어지면 엄마 세계 여행 시켜준다고 할 줄 알았는데, 아들 집을 산다고 하니 섭섭하지~"

H가 푸하하하 웃으며 기대가 크면 실망도 큰 법이라고, 헛된 꿈 꾸지 말라 엄포를 놓는다. 그땐 몰랐다. H가 연금을 받아 아버지 해외여행 용돈을 드리게 될 줄은. 헛된 꿈으로라도 꾼 적 없건만.

●

J도 함께 뒷산에 오른 어느 날, 여의봉을 휘두르며 무술 하는 H를 조금 떨어진 곳에 서서 엄마와 함께 지켜보다가, 문득 거의 반백이 된 H의 머리에 시선이 머물렀다.

"새치 때문에 머리가 거의 백발이네."

"원래 새치 많이 나면 염색해달라고 했는데, 이젠 그런 말을 안 해."

"왜?"

"어느 날 욕실에서 세수를 한 다음 거울을 보고 나오더니 그러더라고. '엄마, 한쪽 눈이 찌그러졌어. 거울 보기 싫다.' 그다음부턴 거울을 안 보는지 염색 소리를 안 하네."

●

양말의 구멍을 이러저러한 기억들로 메우던 J가 엄마의 말을 떠올리고는 목이 메어 버린다. 양말에 난 구멍은 사라졌지만, 대신 커다란 매듭이 생겨 양말을 신고 걸을 때마다 혹처럼 걸리적거린다. 그러다 어느 날, 또다시 발밑이 훅 꺼지는 날이 닥치겠지. 그러면 또다시, 그저 웃음으로 그 구멍을 메우며 사는 수밖에 없다. 그리고 그 구멍 속에서 흘러나오는, 보이지 않는 목소리에 귀를 기울여 본다.

H가 속삭인다.

순한이 나무 아래 앉아 저 산 너머를 바라보던 길에 선다.
(순한) **순한은 왔던 길을 뒤돌아 보고,**
앞으로 가야 할 길을 본다.
(걸음 옮기고) **순한이 걸음을 옮긴다.**

음악 (가사) 저 산 너머 하얀 구름

순한이 가야 할 길 앞으로 산 너머, 또 다른 산들이
첩첩이 겹쳐져 있다.
(화면 전환) **순한이 산길을 오른다.**

음악 (가사) 내 마음 속 빈자리 포근히 채워 어여쁜 꽃 피어나네.

순한은 한결같은 속도로 산길을 걷고, 또 걷는다.
순한이 지친 얼굴로, 끝없는 모래 위를 걸어간다.
순한은 파란 하늘과 하얀 구름 아래, 산 언덕을 오르고/
손으로 이마에 맺힌 땀을 훔치며 거친 숨을 내뱉는다.

(돌부처) **산 정상 부근에서**
순한이 아기 돌부처상을 발견한다.
천진한 미소를 짓고 있는 돌부처를 보고,
순한도 따라 웃음 짓는다.
순한이 산을 넘고, 다시 저 산 너머를 향해
드넓게 펼쳐진 초원을 힘차게 걸어간다.

음악 (가사) 갈 테야, 내 마음의 꽃 찾아.

영화 <저 산 너머> 화면해설 대본 中